LUMIÈRE, SON ET ÉLECTRICITÉ

© 2001 Usborne Publishing Ltd, Usborne House, 83-85 Saffron Hill,
Londres ECIN 8RT, Grande-Bretagne.
© 2004 Usborne Publishing Ltd pour le texte français.

Imprimé en Espagne

BIBLIOTHÈQUE DES SCIENCES
AVEC LIENS INTERNET

LUMIÈRE, SON ET ÉLECTRICITÉ

Kirsteen Rogers, Phillip Clarke, Alastair Smith
et Corinne Henderson

Maquette : Karen Tomlins, Chloë Rafferty, Ruth Russell,
Candice Whatmore et Adam Constantine

Illustrations numériques : Verinder Bhachu

Images numériques : Joanne Kirkby

Rédaction : Laura Howell

Maquette de la couverture : Nicola Butler

Expert-conseil : Tom Petersen

Conseillère pour les sites Web : Lisa Watts
Assistante à la rédaction : Valerie Modd

Maquette de la collection : Ruth Russell
Directrice de la collection : Judy Tatchell

Pour l'édition française :
Traduction : Claire Lefebvre
Rédaction : Renée Chaspoul et Helen Thawley

LIENS INTERNET

Tout le long de ce livre, des sites Web sont proposés pour approfondir le sujet traité. Tu pourras par exemple :

- découvrir les secrets de l'arc-en-ciel
- en savoir plus sur le laser
- explorer l'univers étonnant des illusions d'optique
- faire des expériences sur le son
- réaliser ton propre clip vidéo
- comprendre le système binaire

LE SITE QUICKLINKS D'USBORNE

Afin d'accéder à tous les sites Web que nous te proposons, va sur notre site Quicklinks : **www.usborne-quicklinks.com/fr** où tu trouveras un lien direct à chaque site mentionné.

Les liens des sites recommandés sur Quicklinks sont régulièrement revus et mis à jour. Il arrive toutefois qu'un message apparaisse, indiquant qu'un site n'est plus disponible. Cela peut être temporaire, réessaie donc plus tard, ou même le lendemain. Cependant, certaines adresses de sites Web changent ou les sites disparaissent. Si un site n'est plus accessible, nous le remplacerons, si possible, par un autre site.

CE DONT TU AS BESOIN

Certains sites Web nécessitent des programmes additionnels, appelés modules externes ou plug-ins, pour entendre des sons ou voir des vidéos, des animations et des images en 3 D. Si tu accèdes à un site sans le module externe nécessaire, un message apparaît à l'écran t'indiquant comment le télécharger. Si cela n'est pas le cas, connecte-toi sur notre site Quicklinks et clique sur « Besoin d'aide ? ». Tu y trouveras des liens pour télécharger les plug-ins.

www.usborne-quicklinks.com/fr

Va sur le site Quicklinks d'Usborne pour :
- avoir des liens directs à tous les sites Web proposés dans le livre
- télécharger gratuitement des images, qui sont signalées tout le long du livre par le symbole ★

LA SÉCURITÉ SUR INTERNET

Lorsque tu utilises Internet, suis toujours les conseils suivants :

- Demande la permission à un adulte (parent, gardien ou professeur) avant de te connecter.
- Si un site te demande de t'inscrire avant de te connecter en tapant ton nom ou adresse électronique, demande d'abord la permission à un adulte.
- Si tu reçois un message électronique de provenance inconnue, parles-en à un adulte avant d'y répondre.
- N'accepte jamais de rencontrer une personne dont tu as fait la connaissance sur Internet.

NOTE POUR LES PARENTS

Tous les sites Web proposés dans ce livre sont régulièrement revus et les liens mis à jour. Toutefois, le contenu d'un site peut changer à tout moment et les éditions Usborne ne sauraient être tenues responsables du contenu de sites Web autres que le leur. Nous recommandons aux adultes d'encadrer les jeunes enfants lorsqu'ils consultent Internet, de leur interdire l'accès aux chat rooms (salles de discussion) et d'utiliser un système de filtrage afin de bloquer l'accès à tout matériel indésirable. Les parents doivent s'assurer en outre que les enfants ont bien lu et suivent les règles de sécurité mentionnées ci-dessus. Pour d'autres renseignements, voir « Besoin d'aide ? » sur le site Quicklinks.

LES IMAGES TÉLÉCHARGEABLES

Les images du livre indiquées avec le symbole ★ peuvent être téléchargées à partir de notre site Quicklinks pour ton usage personnel, par exemple pour un projet scolaire. Ces images sont sous copyright Usborne et ne doivent pas être utilisées dans un but commercial.

OBSERVE PAR TOI-MÊME

Les encadrés *Observe par toi-même* de ce livre proposent des expériences, des activités ou des observations que nous avons testées. Il arrive que des sites Web offrent aussi des expériences. Cet ouvrage s'adressant à des lecteurs d'âges différents, il est important que tu ne réalises pas seul ces expériences, aussi bien celles du livre que celles du Web, car il te faudra utiliser des objets dont tu n'as peut-être pas l'habitude, tel couteau de cuisine ou cuisinière. Demande toujours à un adulte de t'aider.

SOMMAIRE

Ces fils brillants sont des câbles en fibres optiques. La lumière les traverse grâce à des filaments aussi fins que des cheveux, les fibres optiques.
Les câbles en fibres optiques ont de nombreuses utilisations, qui vont du domaine des télécommunications à l'exploration interne du corps humain.

LA LUMIÈRE, LE SON ET L'ÉLECTRICITÉ

L a lumière, le son et l'électricité sont des formes d'énergie. Le son et la lumière sont des ondes capables de se propager à travers les substances. L'électricité est un type d'énergie qui peut être facilement converti en d'autres formes. Ce livre traite de ces trois types d'énergies en donnant de nombreux exemples de leurs utilisations dans la technologie moderne.

LES ONDES

Les **ondes** transportent de l'énergie. Il en existe deux types principaux : mécanique et électromagnétique. Les **ondes mécaniques**, comme les ondes liquides et sonores, sont des vibrations à l'intérieur d'un solide, d'un liquide ou d'un gaz. Les ondes électromagnétiques, telles que les ondes lumineuses et les ondes radio, sont des vibrations d'un type différent (voir pages 18-19).

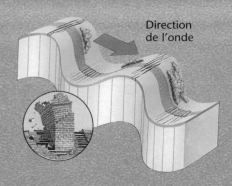

Direction de l'onde

Les tremblements de terre sont des ondes sismiques qui voyagent à travers la roche. Les vibrations peuvent être suffisamment puissantes pour détruire des bâtiments.

UN TRANSFERT D'ÉNERGIE

Les substances à travers lesquelles les ondes voyagent sont appelées **milieux**. L'eau, le verre et l'air sont différents milieux. Une onde mécanique se propage à travers un milieu en faisant vibrer ses particules, chacune transmettant la vibration à sa voisine. L'énergie traverse ainsi la substance.

Les ondes liquides, comme celles illustrées ci-dessous, sont engendrées par la vibration verticale des particules d'eau. Celles-ci, pourtant, n'avancent pas avec l'onde.

L'onde n'engendre pas de perturbation permanente dans le milieu. Chaque particule arrête progressivement de vibrer pour retrouver sa position initiale.

À l'instar des particules d'eau, l'oiseau n'avance pas avec l'onde de la vague.

En perdant de l'énergie, la vibration des particules s'atténue et la vague décroît.

En frappant la surface de l'eau, les gouttes engendrent des ondes concentriques. Par leur propagation, celles-ci éloignent l'énergie de la zone perturbée.

Les rides sur l'eau sont des ondes liquides. En s'éloignant de la source de la perturbation, elles perdent de l'énergie et s'amenuisent.

LES TYPES D'ONDES

En fonction de la direction de la vibration, toutes les ondes sont définies comme longitudinales ou transversales.

Dans le cas d'**ondes transversales**, les particules vibrent dans un plan perpendiculaire à la direction de propagation. Les ondes en milieux liquides sont des ondes transversales.

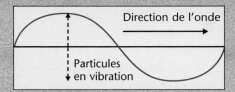

Dans une onde transversale, les particules vibrent dans un plan perpendiculaire à la direction de l'onde.

Dans le cas d'**ondes longitudinales**, les particules vibrent dans la direction de propagation. Dans le milieu, les particules vibrent d'avant en arrière comme les anneaux d'un ressort qui se tend et se détend. Les ondes sonores sont des ondes longitudinales.

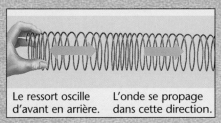

Le ressort oscille d'avant en arrière. L'onde se propage dans cette direction.

Les zones de compression et d'extension du ressort montrent comment se propagent les ondes longitudinales.

LA MESURE DES ONDES

Les ondes transversales dessinent un motif sinusoïdal régulier dans lequel la position maximale est appelée **crête** et la position minimale, **creux**. Un **cycle** représente une oscillation complète.

Le nombre d'oscillations complètes ayant lieu par seconde donne la **fréquence**. Elle est mesurée en **hertz** (**Hz**), d'après le scientifique allemand Heinrich Hertz (1857-1894) qui fut le premier à découvrir et à utiliser les ondes radio.

La distance qui sépare deux crêtes ou deux creux consécutifs est la **longueur d'onde**.

On nomme **amplitude** le déplacement maximal d'une particule par rapport à sa position d'équilibre, ou de repos. Celle-ci décroît au fur et à mesure que l'onde s'éloigne de sa source et perd de l'énergie.

Une onde se caractérise par sa fréquence, sa longueur d'onde et son amplitude.

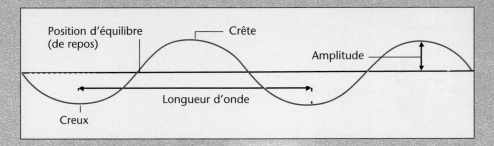

Observe par toi-même

Grâce à cette expérience, tu peux matérialiser la forme d'une onde transversale. Attache l'extrémité d'une corde à un point fixe, la poignée d'une porte par exemple. Prends l'autre bout et secoue-le énergiquement. Tu peux voir l'onde se dessiner le long de la corde qui vibre perpendiculairement à sa direction.

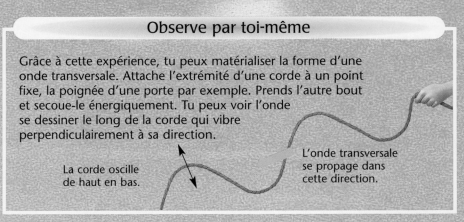

La corde oscille de haut en bas.

L'onde transversale se propage dans cette direction.

Liens Internet

Pour les liens vers ces sites, connecte-toi à : **www.usborne-quicklinks.com/fr**

Site 1
Une introduction aux ondes, dont leurs propriétés et les milieux de propagation.

Site 2
Ce dossier t'invite à découvrir quelques notions scientifiques sur les ondes électromagnétiques.

Site 3
Un dossier explicatif à propos des ondes dans l'océan.

Site 4
Pour visionner de petits films sur les ondes et les interférences.

Site 5
La structure interne de la Terre : un site très complet avec de nombreux dossiers scientifiques (pour en savoir plus sur les ondes sismiques ou les failles et les séismes par exemple), des questions-réponses et des vidéos, et d'autres choses encore.

PROPAGATION DES ONDES

L orsqu'une onde heurte un obstacle, ou passe d'un milieu à un autre, sa vitesse, sa direction et sa forme peuvent être modifiées. Avant ces changements, l'**onde** est dite **incidente**. Les explications sur les mouvements des vagues (ondes liquides) données sur cette double page s'appliquent à toutes les ondes.

Un **tsunami** est une vague géante qui ralentit et grossit rapidement en atteignant les eaux côtières peu profondes.

LA RÉFLEXION

Lorsqu'une onde incidente heurte un obstacle, elle rebondit, à l'exemple d'une vague qui heurte une digue au bord de la mer. Ce phénomène est appelé **réflexion**. L'**onde réfléchie** est renvoyée à un angle égal à celui de l'onde incidente.

La forme de l'onde réfléchie dépend à la fois de celle de l'onde incidente et de l'obstacle qu'elle rencontre. Le schéma ci-dessous montre ce qui se passe quand des ondes incidentes, rectilignes ou concentriques, frappent différents obstacles.

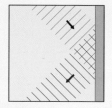

Direction de l'onde incidente
Angle d'approche
Digue
Direction de l'onde réfléchie
Angle de réflexion
★

L'angle de réflexion est égal à l'angle d'approche de l'onde incidente.

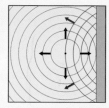

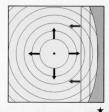
★

Une onde rectiligne qui rencontre un obstacle droit produit une onde réfléchie rectiligne.

Une onde concentrique heurtant un obstacle droit produit une onde réfléchie concentrique.

Une onde concentrique qui frappe un obstacle concave (en creux) engendre une onde réfléchie rectiligne.

Sur l'océan, les vagues sont plutôt rectilignes. En s'approchant des eaux peu profondes d'une plage, elles se courbent pour épouser la forme du rivage. C'est un exemple de réfraction.

LA RÉFRACTION

Lorsqu'une onde incidente pénètre dans un nouveau milieu, sa vitesse est modifiée. Sa longueur d'onde* change, mais pas sa fréquence*. Le schéma ci-dessous montre une onde qui ralentit en passant dans un autre milieu. Si la longueur d'onde diminue, le nombre de crêtes par seconde (fréquence) reste le même.

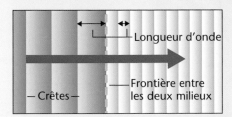

L'onde change de vitesse en entrant dans un nouveau milieu.

Si l'onde pénètre dans le nouveau milieu à un certain angle, elle change à la fois de vitesse et de direction : c'est la **réfraction**. On parle alors d'**onde réfractée**.

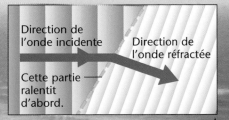

L'onde change de vitesse et de direction en entrant dans le nouveau milieu à un certain angle.

Les eaux profondes et peu profondes agissent comme deux milieux différents. La première partie de la vague arrivant en eau peu profonde ralentit avant le reste. Ce phénomène modifie la direction de la vague.

L'INTERFÉRENCE

Deux ondes qui se rencontrent s'affectent mutuellement. Cet effet est appelé **interférence**. Le type d'interférence dépend de la façon dont les ondes se superposent.

Si deux crêtes de même amplitude* arrivent au même endroit en même temps, elles s'ajoutent pour former une crête deux fois plus haute. Ceci est un exemple d'**interférence constructive**.

 + =

Si une crête rencontre un creux de même amplitude, ils s'annulent et l'onde disparaît. C'est un exemple d'**interférence destructive**.

 + =

Observe par toi-même

Pour créer une interférence, laisse tomber deux petits cailloux en même temps dans une grande cuve d'eau, une baignoire par exemple. Des rides concentriques se forment autour de chaque impact. À l'endroit où elles se croisent, tu peux voir brièvement les deux types d'interférences, constructive et destructrice.

Interférence constructive

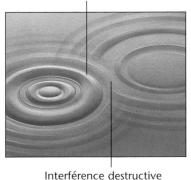

Interférence destructive

LA DIFFRACTION

Lorsqu'une onde incidente traverse une ouverture, elle s'étale et se courbe ; c'est un exemple de **diffraction**. Plus l'ouverture est petite par rapport à la longueur d'onde de l'onde, plus celle-ci est diffractée.

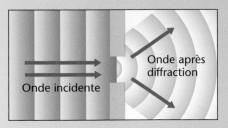

Une onde traversant une ouverture plus petite que sa longueur d'onde subit une forte diffraction.

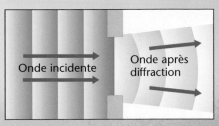

Une onde traversant une ouverture plus grande que sa longueur d'onde ne subit qu'une diffraction minime.

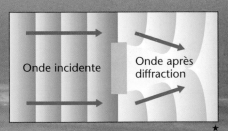

Une onde peut aussi être diffractée lorsqu'elle rencontre le bord d'un obstacle.

Liens Internet

Pour les liens vers ces sites, connecte-toi à : **www.usborne-quicklinks.com/fr**

Site 1
Un dossier sur la propagation des ondes mécaniques, avec schémas, photos et expériences.

Site 2
Les tsunamis : photos, fonctionnement et maquette expérimentale.

Site 3
Une page sur la diffraction et autres phénomènes ondulatoires.

*Amplitude, fréquence, longueur d'onde, 9.

LE SON

Le son est une forme d'énergie transportée par des ondes de particules en vibration. Appelées **ondes sonores** (ou **acoustiques**), elles peuvent se propager à travers des solides, des liquides et des gaz, mais pas dans le vide où il n'y a pas de particules. Donc le son ne peut pas voyager dans l'espace.

Le son produit par des feuilles qui tombent est de l'ordre de 10 dB.

LES ONDES SONORES

Les ondes sonores sont longitudinales ; c'est-à-dire que les particules vibrent dans la même direction que celle de l'onde.

Par exemple, dans un haut-parleur, la membrane conique en papier (**diaphragme**) vibre d'avant en arrière, transmettant l'énergie sonore à l'air. En bougeant vers l'avant, le cône compresse les particules d'air devant lui. En bougeant vers l'arrière, au contraire, il crée une zone de dilatation.

Diaphragme d'un haut-parleur (immobile)

Particules d'air

Diaphragme se déplaçant vers l'avant

Particules compressées

Diaphragme se déplaçant vers l'arrière

Particules décompressées

Observe par toi-même

Avec un ballon et une radio, tu peux sentir les vibrations sonores. Allume la radio et tiens le ballon à environ 10 cm du haut-parleur. Les vibrations des sons font vibrer l'air à l'intérieur du ballon.

On peut représenter les ondes sonores par des courbes sinusoïdales. Les crêtes figurent les zones de compression des particules et les creux celles de décompression. Ces graphiques montrent le nombre d'ondes par seconde (fréquence) ainsi que leur force (amplitude).

Schéma d'une onde sonore

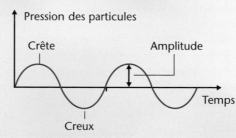

La fréquence de l'onde est mesurée en hertz (Hz). Les ondes acoustiques dont la fréquence se situe entre 20 Hz et 20 000 Hz sont perceptibles par l'oreille humaine : ce sont les sons. En deçà, les ondes acoustiques sont appelées **infrasons** et au-delà, on les nomme **ultrasons**.

Les sons aigus, comme le chant d'un oiseau, sont des ondes de haute fréquence.

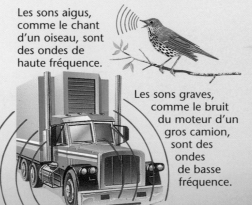

Les sons graves, comme le bruit du moteur d'un gros camion, sont des ondes de basse fréquence.

LA SONORITÉ

Les sons forts sont des ondes de large amplitude, tandis que les sons doux ont une amplitude réduite. Au fur et à mesure qu'un son s'éloigne de sa source, son amplitude décroît et il devient moins perceptible.

La puissance sonore se mesure en **décibels** (**dB**). La baleine bleue est l'animal dont le cri est le plus puissant du règne animal. Il peut atteindre 188 dB.

Les moteurs des avions sont si bruyants que le personnel au sol doit porter un casque pour éviter des lésions auditives.

LA VITESSE DU SON

Les ondes sonores se propagent à des vitesses différentes selon les milieux qu'elles traversent. Elles voyagent plus rapidement dans les solides que dans les liquides, et plus vite dans les liquides que dans les gaz.

La vitesse du son dans l'air sec à 0 °C est de 331 mètres par seconde. Cette vitesse augmente si la température de l'air s'élève et elle diminue si celle-ci s'abaisse.

Dans les mêmes conditions, une vitesse plus élevée que celle du son est dite **supersonique**, une vitesse moins élevée est appelée **subsonique**.

En passant à la vitesse supersonique, un avion émet une détonation assourdissante. On dit qu'il passe le « **mur du son** ». Sur cette photo, l'onde de choc (onde sonore) est rendue visible par la perturbation de l'air humide.

À l'atterrissage, un avion émet environ 120 dB.

LES ÉCHOS

L'**écho** est une onde sonore réfléchie par une surface et qu'on entend peu après le son d'origine. Les échos peuvent servir à localiser des objets avec précision. Pour cela, on mesure le temps qu'ils mettent à revenir à leur source.

Les ondes ultrasoniques sont les plus utilisées, car les ondes de haute fréquence sont moins distordues par les obstacles qu'elles rencontrent. Elles s'étalent aussi moins que les ondes sonores ordinaires et donnent donc des informations plus précises sur la surface qui les réfléchit.

Des animaux, comme les chauves-souris et les dauphins, utilisent ce système, appelé **écholocation**, pour repérer leurs proies ou se diriger.

Le **sonar**, une méthode employant des ondes acoustiques, est utilisé par les navires pour mesurer la profondeur de l'océan ou pour détecter des objets sous-marins, comme des épaves ou des bancs de poissons. À bord, des appareils enregistrent les échos.

Les ondes acoustiques émises par le navire se réfléchissent sur l'épave. Un ordinateur calcule leur temps de retour pour déterminer sa position.

Les dauphins émettent des séries de clics ultrasoniques (plus de 700 par seconde). Le temps mis par les échos pour leur revenir leur permet de savoir où se trouvent les bancs de poissons.

L'**échographe** est un appareil utilisant les ultrasons. Il permet de voir à l'intérieur du corps. On peut ainsi observer un bébé dans le ventre de sa mère. Les os, les muscles ou la graisse réfléchissent les ultrasons différemment. À partir de ces informations, l'ordinateur construit une image.

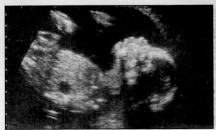

Échographie d'un bébé dans le ventre maternel

Liens Internet

Pour les liens vers ces sites, connecte-toi à : **www.usborne-quicklinks.com/fr**

Site 1
Quelques généralités sur la propagation du son.

Site 2
Tu peux ici faire quelques expériences sur le son.

Site 3
L'écholocation chez les chauves-souris.

LES INSTRUMENTS DE MUSIQUE

Les instruments de musique émettent des ondes sonores. La forme et la taille de l'instrument, ainsi que le matériau dans lequel il est fait, influent tous sur le son. Certains ont une **caisse de résonance** qui vibre à la même fréquence que celle des vibrations de l'air créées par le son. Ce phénomène de résonance produit un son amplifié et plus riche.

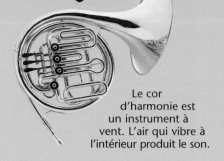

Le cor d'harmonie est un instrument à vent. L'air qui vibre à l'intérieur produit le son.

LES TYPES D'INSTRUMENTS

En fonction de la façon dont ils produisent des sons, les instruments peuvent être classés en plusieurs groupes. Les **instruments à cordes**, comme la harpe ou le violon, possèdent des cordes tendues qui vibrent lorsqu'on les pince ou qu'on y frotte un archet. Les cordes du piano vibrent quand elles sont frappées par des marteaux actionnés par les touches. Plus les cordes vibrent, plus le son est fort.

Le frottement de l'archet, fabriqué à partir de crins de cheval tendus sur une baguette de bois, fait vibrer les cordes.

Le chevalet du violon transmet les vibrations des cordes au corps de l'instrument (sa caisse de résonance).

La caisse de résonance amplifie et enrichit le son.

La colonne d'air vibrant à l'intérieur des **instruments à vent** (cuivres et bois) produit les sons. Les vibrations sont émises de différentes manières. Dans le cas de la trompette, par exemple, ce sont les lèvres du joueur qui vibrent dans l'embouchure. Le son est **amplifié** par le tube et le pavillon évasé.

Jadis, les trompettes étaient faites d'un long tube droit. Le tube des trompettes modernes, comme celle-ci, est enroulé, ce qui les rend plus faciles à manier.

Les clarinettes et les hautbois ont un bec pourvu d'une anche de roseau (languette) simple ou double qui entre en vibration sous l'action d'un souffle d'air.

Les **instruments à percussion** produisent un son lorsqu'ils sont frappés, grattés ou secoués. Ainsi, le tambour est fait d'une peau tendue sur un cadre que l'on frappe avec les mains ou des baguettes. Les vibrations font frémir l'air à l'intérieur, et la caisse amplifie le son.

Les vibrations de la membrane en peau du tambour résonnent à l'intérieur de la caisse et sont amplifiées.

INSTRUMENTS ÉLECTRIQUES

Dans le cas des **instruments électriques**, comme la guitare électrique, les petites vibrations sonores produites par les cordes sont amplifiées par un amplificateur électronique dans la caisse de résonance. Des effets spéciaux, tels que des échos, peuvent être ajoutés électroniquement au son.

Les vibrations des cordes de cette guitare électrique sont changées en signaux électriques, puis amplifiées et transformées à nouveau en sons.

LE SON SYNTHÉTISÉ

Un **synthétiseur** est un instrument qui stocke les ondes sonores dans sa mémoire électronique sous forme d'un code binaire* (numérique). Il peut reproduire un son en convertissant son code en courant électrique et en l'envoyant vers un haut-parleur.

L'échantillonneur numérique du synthétiseur peut stocker des sons d'instruments de musique, mais aussi d'autres bruits, comme les aboiements d'un chien par exemple, et les reproduire.

L'échantillonneur numérique du synthétiseur à clavier contient les codes d'ondes sonores créées par plusieurs instruments.

*Code binaire (numérique), 44 ; Hertz, 9.

LA HAUTEUR

La sensation d'aigu ou de grave d'un son est sa **hauteur**. Les ondes sonores de haute fréquence produisent des sons aigus, celles de basse fréquence, des sons graves. Les sons d'une hauteur donnée sont appelés **notes**. Par exemple, le **ut** (ou **do**) central situé à peu près au milieu du clavier d'un piano a une fréquence d'environ 262 hertz*. Le ut suivant a une fréquence supérieure, environ 523 hertz.

La hauteur des notes pouvant être jouées dépend de la taille de l'instrument. Ainsi, plus une corde est longue sur un instrument à cordes, plus basse est sa fréquence. C'est pourquoi une contrebasse produit des notes plus basses qu'un violon.

Les cordes de la harpe vibrent lorsqu'elles sont pincées. La hauteur des notes est fonction de la longueur des cordes.

Le joueur peut modifier la hauteur des sons d'un instrument. Dans le cas d'une guitare ou d'un violon, il appuie sur la corde. Cela raccourcit la longueur qui peut vibrer et produit une note plus haute. Sur une flûte ou un hautbois, le musicien couvre et découvre des trous. Cela modifie la longueur de la colonne d'air en vibration, et donc les notes émises.

En appuyant sur les clés de la flûte, le musicien couvre les trous, ce qui raccourcit la colonne d'air de l'instrument et diminue la hauteur des notes.

LES HARMONIQUES

La plupart des instruments produisent des ondes sonores complexes, faites d'un mélange de sons hauts et bas appelés **harmoniques**. Ils donnent à l'instrument sa qualité sonore individuelle, ou **timbre**.

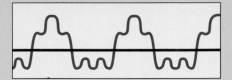

Sur ce schéma des ondes sonores émises par un instrument, les harmoniques apparaissent comme de petits pics supplémentaires.

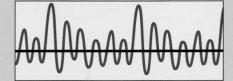

Schéma des ondes sonores de la même note jouée sur un instrument différent.

Observe par toi-même

Exerce-toi à souffler sur le goulot d'une bouteille vide. Tu parviendras facilement à faire vibrer la colonne d'air à l'intérieur et à produire une note de musique. Verse ensuite un peu d'eau dans la bouteille et souffle de nouveau. L'eau a réduit le volume de la colonne d'air et la note sera plus haute.

Liens Internet

Pour les liens vers ces sites, connecte-toi à : **www.usborne-quicklinks.com/fr**

Site 1
Une page sur le son et la musique.

Site 2
Le fonctionnement et le rayonnement des instruments à corde.

Site 3
Le son dans une chaîne hi-fi.

Site 4
Les différents instruments de musique.

LA REPRODUCTION DES SONS

E n transformant l'énergie sonore en énergie électrique, on peut enregistrer et stocker des sons pour les écouter plus tard. Sous cette forme, les sons peuvent aussi voyager sur de grandes distances, par exemple avec l'Internet.

Pavillon

L'un des premiers gramophones fabriqués dans les années 1890. Les sillons du disque font vibrer l'aiguille, créant des ondes sonores qui sont amplifiées par un grand pavillon.

LE MICROPHONE

Les sons peuvent être convertis en courant électrique grâce à un appareil appelé **microphone**. Celui-ci contient un mince disque métallique, le **diaphragme**, attaché à un électroaimant*, lequel est composé d'une bobine de fil métallique et d'un aimant en forme d'anneau.

Lorsque les ondes sonores frappent le diaphragme, celui-ci se met à vibrer à la même fréquence* et il transmet les vibrations à la bobine. En se déplaçant vers l'aimant, la bobine génère un courant électrique qui se propage le long du fil. Le courant varie en fonction de l'amplitude et de la fréquence des ondes sonores.

Microphone (en coupe)   Diaphragme

Bobine

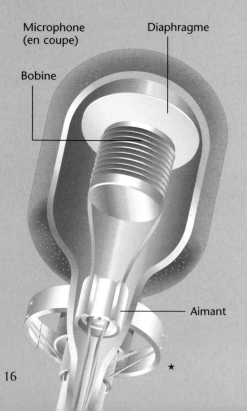

Aimant

LE HAUT-PARLEUR

Le **haut-parleur** transforme un courant électrique qui provient d'une source, par exemple un microphone, en ondes sonores. À l'intérieur du haut-parleur se trouve un électroaimant. Lorsque le courant passe dans la bobine qui est attachée à un diaphragme conique en papier, elle se magnétise.

Parties d'un haut-parleur

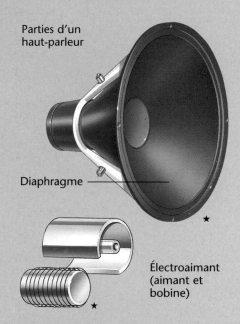

Diaphragme

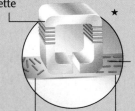

Électroaimant (aimant et bobine)

Quand un signal électrique variable produit par une onde sonore passe dans la bobine, la force produite entre les champs magnétiques de la bobine et de l'aimant entraîne la vibration de la bobine et du diaphragme.

L'air devant le diaphragme entre en vibration et crée des ondes sonores de la même fréquence que le son d'origine.

LE MAGNÉTOPHONE

Dans un **magnétophone**, les sons sont enregistrés sur une bande magnétique en plastique sous forme d'un motif de particules magnétisées d'oxyde de fer ou de chrome.

Cassette

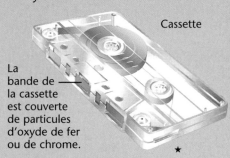

La bande de la cassette est couverte de particules d'oxyde de fer ou de chrome.

L'enregistrement s'opère grâce à la **tête d'enregistrement**, un électroaimant. Un courant variable produit à partir d'ondes sonores passe du microphone dans la bobine métallique de la tête. Cela engendre des variations dans le champ magnétique de la tête, qui trace un nouveau motif avec les particules métalliques de la bande.

Tête d'enregistrement d'un magnétophone à cassette

Bande magnétique

Les particules d'une bande vierge sont placées au hasard.

Les particules d'une bande enregistrée forment un motif.

Les motifs de particules d'une bande peuvent être lus par la **tête de lecture**. Celle-ci produit un courant variable que le haut-parleur reconvertit en sons.

*Électroaimant, 39 ; Fréquence, 9.

ENREGISTREMENT ANALOGIQUE

Le courant variable d'un microphone produit sur la bande de la cassette un motif variable de particules magnétisées. Cet enregistrement en continu de la position du diaphragme du microphone qui vibre d'avant en arrière en réponse aux ondes sonores est un exemple d'**enregistrement analogique**.

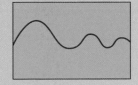

Onde sonore originale

Onde sonore analogique enregistrée

L'enregistrement analogique présente un inconvénient. En effet, la bande s'altère au fur et à mesure des passages. Dans le cas du magnétophone, la tête de lecture use progressivement les particules magnétiques de la bande. Le son produit est de moins en moins semblable à celui d'origine.

Observe par toi-même

Tu peux entendre les effets du magnétisme sur une bande en enregistrant un morceau de musique sur une cassette vierge. Rembobine la cassette et sors-la du magnétophone. Déroule une partie de la bande et passe un aimant au-dessus quelques minutes. Replace la bande dans la cassette et écoute-la. Tu t'apercevras que l'aimant a modifié l'arrangement des particules sur la bande et que le son est distordu.

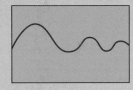

*Code binaire, 44.

ENREGISTREMENT NUMÉRIQUE

Dans l'**enregistrement numérique**, le courant électrique représentant le son est transcrit grâce à un code binaire* constitué d'une suite de 0 et de 1. Ce procédé, appelé **échantillonnage**, s'effectue en mesurant le courant en différents points.

Plus l'échantillonnage est précis, plus l'enregistrement se rapproche de l'original. Par exemple, sur un CD enregistré, l'échantillonnage est de 44 100 échantillons par seconde. C'est un **enregistrement haute fidélité**, dont la restitution est très proche de l'original.

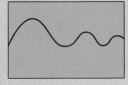

Onde sonore analogique

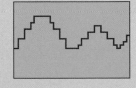

Onde sonore numérique basse fidélité

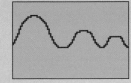

Onde sonore numérique haute fidélité

À chaque fois qu'un enregistrement numérique est lu, le son se compose à partir de la même série de chiffres. Cette restitution sonore parfaite reste donc toujours identique à celle faite le jour de l'enregistrement.

Les enregistrements numériques peuvent être stockés sous forme de fichiers dans un ordinateur. On peut ensuite les utiliser de différentes manières, par exemple, les transférer sur un CD ou les envoyer sur l'Internet.

LES DISQUES COMPACTS

Les **disques compacts** (**CD**, de l'anglais compact disc) stockent des informations sonores numériques. Le code binaire est gravé sous la forme d'une piste de **bosses** et de **creux** à la surface du disque.

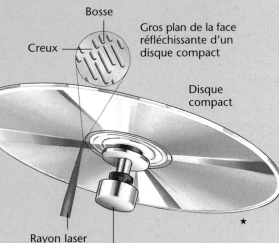

Bosse

Creux

Gros plan de la face réfléchissante d'un disque compact

Disque compact

Rayon laser

★

Un moteur fait tourner le disque tandis qu'il est scanné (lu) par un rayon laser.

Dans un lecteur de CD, un rayon laser balaie la face réfléchissante du disque. La lumière qui frappe un creux est réfléchie vers un détecteur photosensible, produisant une impulsion électrique traduite par un 1 binaire. La lumière qui frappe une bosse est dispersée et ne produit pas d'impulsion. Elle est traduite par un 0. Le flux d'impulsions numériques est converti en sons par le haut-parleur.

Liens Internet

Pour les liens vers ces sites, connecte-toi à : **www.usborne-quicklinks.com/fr**

Site 1
Une page sur la technologie numérique.

Site 2
Une rubrique sur l'enregistrement et la reproduction du son.

Site 3
Découvre l'histoire du phonographe et de la « TSF ».

Site 4
Tout savoir sur les disques : « noir », compact et vidéo.

ONDES ÉLECTROMAGNÉTIQUES

Les **ondes électromagnétiques** sont des ondes transversales* constituées de champs magnétiques et électriques en perpétuel changement. Comme les ondes mécaniques, elles se propagent à travers la plupart des solides, des liquides et des gaz. Elles peuvent également voyager dans le **vide**, en l'absence de particules d'air ou d'une autre substance. Elles sont invisibles, excepté celles qui constituent la lumière visible.

LE SPECTRE ÉLECTROMAGNÉTIQUE

Le **spectre électromagnétique** comprend une gamme d'ondes électromagnétiques classées par ordre de longueur d'onde* et de fréquence*. D'un côté se trouvent celles de longueur d'onde courte et de haute fréquence et de l'autre, celles de longueur d'onde longue et de basse fréquence. Toutes se propagent à la même vitesse, soit environ 300 000 kilomètres par seconde, la **vitesse de la lumière**.

LES RAYONS GAMMA

Les **rayons gamma** sont des ondes courtes de haute fréquence. Capables de tuer les cellules vivantes, ils sont utilisés pour stériliser le matériel médical par destruction des germes.

On utilise les rayons gamma pour stériliser les instruments chirurgicaux.

LES RAYONS X

Les **rayons X** se propagent à travers la plupart des substances molles, mais non dans les substances denses et dures. Dans les hôpitaux, ils servent à faire des clichés ombragés des différentes parties du corps. Ils traversent les tissus mous, comme la peau et les muscles, mais pas les os. Les agents de la sécurité des aéroports les utilisent aussi pour voir ce qui est caché dans les bagages des voyageurs.

Grâce aux rayons X, on a pu obtenir ce cliché d'un pied de femme enfermé dans une chaussure. Les os et les parties métalliques de la chaussure apparaissent visiblement, car les rayons X ne peuvent pas les traverser.

Spectre électromagnétique

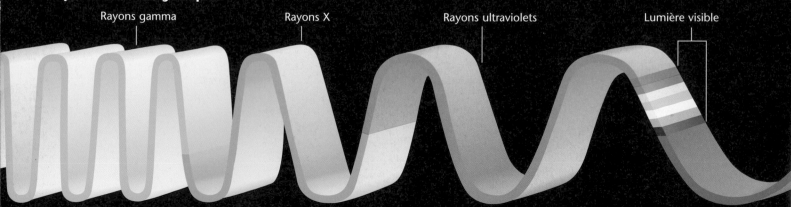

Rayons gamma | Rayons X | Rayons ultraviolets | Lumière visible

Longueur d'onde courte
Haute fréquence

*Fréquence, longueur d'onde, ondes transversales, 9.

18

LES RAYONS UV

Les **rayons ultraviolets (UV)** ont plus d'énergie que la lumière visible (voir ci-dessous) et peuvent provoquer des réactions chimiques.

Les crèmes solaires protègent la peau en bloquant les UV nocifs.

Par exemple, les rayons UV du soleil déclenchent dans la peau une production de **mélanine**, une substance chimique brune. La peau bronze, mais une surexposition aux UV engendre un taux élevé de mélanine et peut provoquer des cancers de la peau.

LA LUMIÈRE VISIBLE

L'œil humain perçoit une toute petite portion du spectre électromagnétique, le **spectre de la lumière visible**. Reporte-toi aux pages 20-23 pour en savoir davantage sur ce sujet.

LES RAYONS INFRAROUGES

Les **rayons infrarouges** sont émis par toutes les sources de chaleur. Par exemple, la chaleur du soleil arrive sur la Terre sous forme de rayons infrarouges.

LES ONDES RADIO

Les **ondes radio** sont celles qui ont les longueurs d'ondes les plus grandes et les fréquences les plus basses. Elles te sont expliquées en page 32.

Les **micro-ondes** sont des ondes radio d'une longueur d'onde réduite. Elles sont faciles à contrôler et à diriger, et leurs utilisations sont nombreuses.

Dans un four ordinaire, la chaleur est transférée des molécules externes des aliments vers les molécules internes. Le four à micro-ondes provoque la vibration de toutes les molécules des aliments simultanément, ce qui les chauffe ou les cuit bien plus rapidement.

Une antenne répartit les micro-ondes dans le four.

Les micro-ondes sont générées par un tube appelé **magnétron**.

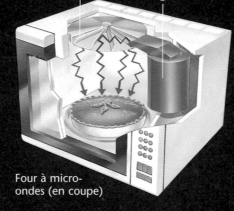

Four à micro-ondes (en coupe)

LE RADAR

Le **radar** (de l'anglais **ra**dio **d**etection **a**nd **r**anging) détermine la position d'objets lointains, comme des navires ou des avions, grâce à des micro-ondes. Un émetteur envoie un faisceau de micro-ondes qui se réfléchit sur un objet solide et revient vers un récepteur. L'information, visualisée sur un écran, indique la distance et la direction de l'objet.

Un radiotélescope à antenne parabolique comme celui-ci peut capter des micro-ondes en provenance de planètes ou d'étoiles éloignées et détecter des objets qui sont trop sombres ou trop lointains pour être vus par un télescope ordinaire.

Liens Internet

Pour les liens vers ces sites, connecte-toi à : **www.usborne-quicklinks.com/fr**

Site 1
Une page explicative sur les caractéristiques des ondes électromagnétiques utilisées en radio.

Site 2
Un site sur les rayons X, leur histoire, leur principe, etc.

Site 3
Une rubrique qui traite des ondes électromagnétiques.

Site 4
Une page sur la lumière visible.

Rayons infrarouges

Ondes radio

Micro-ondes

Ondes standard de radio et de télédiffusion

Les ondes radio ont les fréquences les plus basses et les longueurs d'ondes les plus grandes ; les rayons gamma ont les fréquences les plus hautes et les longueurs d'ondes les plus courtes.

Grande longueur d'onde

Basse fréquence

L'OMBRE ET LA LUMIÈRE

La **lumière** est une forme d'énergie constituée d'ondes électromagnétiques appartenant au spectre électromagnétique*. On parle de **lumière visible** parce qu'elle peut être vue.

La lanterne du phare, en rotation, envoie d'intenses faisceaux lumineux que les bateaux peuvent voir à des kilomètres en mer.

LA LUMIÈRE

Les ondes lumineuses sont des ondes transversales*. Comme les autres ondes, elles diffusent de l'énergie dans l'environnement depuis une source.

Tout objet émettant de la lumière, comme le Soleil ou une ampoule électrique, est dit **lumineux**. La plupart des objets ne sont pas lumineux et ne peuvent être vus que parce qu'ils réfléchissent la lumière d'une source lumineuse. Par exemple, la Lune n'est visible que lorsque la lumière du Soleil s'y reflète.

La lumière du Soleil qui se réfléchit à la surface de la Lune permet de la voir.

L'OMBRE

Les substances laissent plus ou moins passer la lumière. Celles qui la laissent passer complètement, telles que le verre, sont dites **transparentes**. Celles qui ne la laissent passer que partiellement sont dites **translucides**. Le verre dépoli est translucide.

Lorsqu'un objet **opaque** est éclairé, les ondes lumineuses ne peuvent pas le traverser, ce qui crée de l'autre côté une zone sombre, l'**ombre**.

Lumière

La lumière ne peut pas traverser le ballon, il se forme donc une ombre.

Certains objets lumineux émettent davantage de lumière que d'autres. Le niveau de brillance est appelé **intensité lumineuse**. Plus la source lumineuse est éloignée, moins intense elle apparaît. En effet, en s'éloignant de leur source, les ondes lumineuses rayonnent dans toutes les directions.

Les objets opaques projettent deux types d'ombres. Dans la zone non éclairée, il se forme une **ombre** foncée, tandis que dans celle où la lumière pénètre un peu, il se forme une ombre grise, ou **pénombre**, qui s'étend autour de l'ombre. Plus la source lumineuse est petite, plus l'ombre créée est importante et la pénombre faible.

La lampe torche émet une lumière plus intense que la bougie.

La lumière s'affaiblit parce que les vibrations des ondes lumineuses diminuent peu à peu.

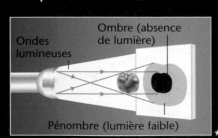

Ondes lumineuses

Ombre (absence de lumière)

Pénombre (lumière faible)

Observe par toi-même

Pour voir les deux types d'ombres, tiens un livre éclairé par une lampe au-dessus d'une feuille de papier blanc. Tu constates que les deux ombres projetées sont bien visibles. Si tu rapproches le livre de la feuille, l'ombre s'agrandit et la pénombre diminue.

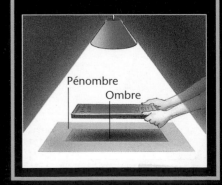

Pénombre

Ombre

*Ondes transversales, 9 ; Spectre électromagnétique, 18-19.

LES LASERS

La lumière visible est constituée de plusieurs couleurs de longueurs d'ondes* et de fréquences* différentes. Les **lasers** sont des appareils qui créent des rayons intenses d'une couleur pure, de longueur d'onde et de fréquence données.

Dans un laser ordinaire, une barre de rubis absorbe l'énergie d'une lampe lumineuse. Les atomes de rubis gagnent de l'énergie et émettent des flux de particules de lumière d'une longueur d'onde et d'une fréquence particulières. Chaque émission déclenche, chez ces atomes, d'autres flux d'ondes lumineuses du même type. Ces ondes forment le **rayon laser**.

Dans ce type de laser, la barre de rubis absorbe la lumière d'une puissante lampe enroulée autour d'elle.

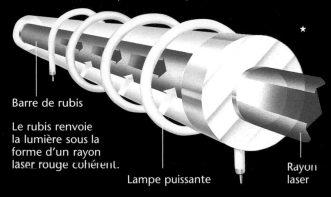

*

Barre de rubis

Le rubis renvoie la lumière sous la forme d'un rayon laser rouge cohérent.

Lampe puissante

Rayon laser

Les ondes d'un rayon laser sont dites **cohérentes**, c'est-à-dire qu'elles se propagent d'une façon synchronisée, car elles ont les mêmes caractéristiques. Elles forment un rayon étroit et concentré très facile à diriger.

Certains lasers surpuissants produisent des rayons extrêmement chauds de lumière infrarouge*. Dans l'industrie, ils permettent de découper des métaux, des diamants et d'autres matériaux résistants. Certaines opérations de chirurgie oculaire font appel à des lasers moins puissants. Par une minuscule brûlure, le laser peut, par exemple, remettre en place une rétine décollée.

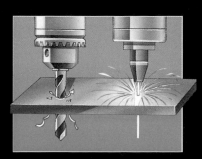

Le foret de la perceuse (à gauche) pratique un trou grossier et produit des copeaux.

Avec le rayon laser, qui fait fondre le métal, le trou est net.

LA FLUORESCENCE

Certaines substances, dites **fluorescentes**, sont capables d'absorber de l'énergie, comme de l'électricité ou des rayons ultraviolets* (UV), et de la transformer en lumière. Elles sont largement utilisées en publicité et dans les peintures, car elles rendent les couleurs lumineuses.

Ce T-shirt a été lavé avec une lessive contenant des substances fluorescentes qui absorbent les rayons UV du soleil et font paraître les vêtements blancs encore plus blancs.

Les lumières fluorescentes sont obtenues grâce à un tube rempli de gaz, comme le néon. En traversant le tube, l'électricité excite les particules du gaz, qui émet de l'énergie sous forme de lumière. En fonction du gaz employé, les tubes fluorescents ont des couleurs différentes.

Ces tubes de lumière colorée sont remplis de gaz fluorescents.

Liens Internet

Pour les liens vers ces sites, connecte-toi à : **www.usborne-quicklinks.com/fr**

Site 1
Un dossier essentiel sur la lumière.

Site 2
Un dossier sur le Soleil, source de lumière.

Site 3
Le laser : principe de fonctionnement, histoire et applications.

Site 4
Amuse-toi à fabriquer une boîte à soleil pour observer le Soleil.

*Fréquence, 9 ; Longueur d'onde, 9 ; Rayons infrarouges, rayons UV, 19.

LES COULEURS

La lumière visible, aussi appelée **lumière blanche**, apparaît sans couleurs. En réalité, elle est composée de sept couleurs différentes : rouge, orange, jaune, vert, bleu, indigo et violet. Chaque couleur a sa propre longueur d'onde* et sa propre fréquence*. Ensemble, elles constituent le **spectre de la lumière visible**. Les couleurs du spectre sont dites **chromatiques**.

Un arc-en-ciel comme celui-ci se forme lorsque la lumière frappe les gouttelettes d'eau en suspension dans l'air et se décompose en couleurs.

LA DISPERSION

En 1666, le savant Isaac Newton découvre que la lumière blanche peut être séparée en couleurs par un procédé appelé **dispersion**. Il disperse la lumière en se servant d'un **prisme**, un bloc transparent dont deux des faces plates forment un angle.

L'illustration ci-dessous montre un prisme. La lumière frappe la première face et les couleurs qui la composent sont réfractées (déviées) à des angles différents, ce qui les sépare. La seconde face augmente la réfraction* de la lumière dispersée. Les couleurs les plus réfractées ont les longueurs d'ondes les plus courtes, soit le bleu et le violet.

L'arc-en-ciel résulte d'une dispersion naturelle. Les gouttelettes d'eau en suspension dans l'air agissent comme des prismes en décomposant la lumière solaire en couleurs.

En traversant ce prisme de verre, les rayons de lumière blanche sont séparés en sept couleurs.

LA COULEUR DU CIEL

La coloration du ciel est le résultat de la dispersion de la lumière du soleil par les petites particules présentes dans l'atmosphère. Elles réfléchissent et diffractent* les rayons, et dispersent surtout des ondes lumineuses de haute fréquence, comme le bleu. La lumière bleue est diffusée dans le ciel et atteint nos yeux.

Les couleurs du crépuscule sont dues à la dispersion de la lumière.

À l'aurore et au crépuscule, la lumière traverse une plus grande épaisseur d'atmosphère. Le bleu est dispersé avant d'atteindre nos yeux, et le ciel semble alors prendre des tons orangés et rouges, car seules ces couleurs, aux fréquences basses, parviennent à traverser l'atmosphère.

THÉORIE DES COULEURS

Presque toutes les couleurs du spectre peuvent être obtenues par le **processus additif**, en utilisant différentes combinaisons de lumière rouge, verte et bleue. Ces couleurs sont les **couleurs primaires** de la lumière.

Rouge, bleu et vert sont les couleurs primaires de la lumière.

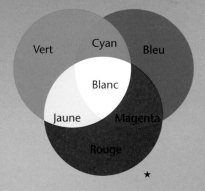

Cyan, magenta et jaune sont les couleurs secondaires de la lumière.

Le mélange de deux couleurs primaires donne une **couleur secondaire**. Deux couleurs qui, associées, donnent de la lumière blanche, par exemple le rouge et le cyan (couleurs opposées sur le schéma ci-dessus), sont appelées des **couleurs complémentaires**.

*Diffraction, 11 ; Fréquence, 9 ; Longueur d'onde, 9 ; Réfraction, 11.

22

VOIR EN COULEUR

Les couleurs sont visibles parce que la lumière qui se réfléchit sur les objets est détectée par des cellules sensibles situées sur la rétine, membrane qui tapisse le fond de nos yeux.

Les objets colorés et les peintures contiennent des **pigments**, des substances qui absorbent certaines couleurs et en reflètent d'autres. La couleur d'un objet est en réalité celle de la couleur qu'il reflète. Par exemple, des fleurs rouges reflètent la couleur rouge et absorbent toutes les autres couleurs du spectre.

Cette bouteille est bleue parce qu'elle reflète uniquement la couleur bleue et absorbe les autres.

Les objets qui apparaissent blancs reflètent toutes les couleurs de la lumière uniformément. Les noirs, en revanche, absorbent toutes les couleurs et aucune lumière n'est réfléchie. Le noir et le blanc sont des **couleurs achromatiques**.

Les plumes blanches de ce manchot reflètent toute la lumière qui les frappe.

Les plumes noires absorbent toute la lumière qu'elles reçoivent.

MÉLANGER DES PIGMENTS

Les pigments se mélangent par le **processus soustractif**. Par exemple, le pigment de la peinture jaune absorbe la lumière bleue et celui du cyan absorbe la lumière rouge. Aussi, le mélange de peintures jaune et cyan ne peut réfléchir que la lumière verte, ce qui le fait paraître vert. Les couleurs primaires des pigments sont cyan, jaune et magenta. Rouge, bleu et vert sont les couleurs secondaires.

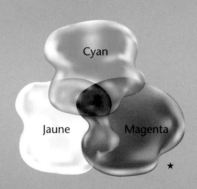

Le mélange de cyan et de jaune donne du vert, parce que ces pigments absorbent la lumière bleue et rouge.

Observe par toi-même

Tu peux obtenir de la lumière blanche à partir des couleurs du spectre en fabriquant une toupie chromatique. Dessine le cercle d'un culot de bouteille sur un bout de carton fort. Découpe le cercle, divise en sept sections et peins-les aux couleurs de l'arc-en-ciel. Insère un crayon au centre et fais tourner la toupie sur une table. Les lumières colorées qui s'y réfléchissent fusionnent pour donner du blanc.

L'IMPRIMERIE

Les images polychromes des livres et des magazines sont faites de minuscules points d'encres magenta, jaunes et cyan, avec un peu de noir pour les contrastes. Ce procédé d'impression est appelé **quadrichromie**.

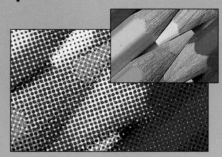

Sur cette image grossie, on peut voir que les couleurs sont constituées de minuscules points magenta, jaunes, cyan et noirs.

N'importe quelle image de ce livre vue à travers une loupe révèlera les points qui la constituent.

Couleurs utilisées dans l'impression en quadrichromie

Cyan   Magenta   Jaune   Noir

Liens Internet

Pour les liens vers ces sites, connecte-toi à : **www.usborne-quicklinks.com/fr**

Site 1
Les questions, avec réponses, que l'on se pose sur la lumière et les couleurs.

Site 2
La diffusion de la lumière, la couleur du ciel, les arcs-en-ciel, avec expériences.

Site 3
Pourquoi les objets sont-ils vus en couleur ? Explications...

Site 4
Expériences sur les couleurs du ciel.

NOTIONS D'OPTIQUE

Comme toutes les ondes électromagnétiques, la lumière voyage à la vitesse incroyable de 300 000 kilomètres par seconde environ dans le vide. Les ondes lumineuses se déplacent en ligne droite, mais peuvent changer de direction si elles rencontrent un obstacle ou passent d'un milieu à un autre. Dans un schéma, les **rayons lumineux** indiquant la direction de propagation sont figurés par des flèches.

Les couleurs à la surface d'une bulle de savon sont le résultat d'interférences lumineuses.

LA RÉFLEXION DE LA LUMIÈRE

Des rayons lumineux se dirigeant vers un obstacle sont appelés **rayons incidents**. S'ils frappent l'objet et se réfléchissent, ils deviennent des **rayons réfléchis**. Ils sont réfléchis avec le même angle que l'angle d'incidence.

Lorsque des rayons de lumière parallèles rencontrent une surface lisse et brillante et sont réfléchis, ils restent parallèles ; on parle de **réflexion régulière**.

Si des rayons parallèles frappent une surface irrégulière, les rayons réfléchis partent dans toutes les directions, c'est la **réflexion diffuse**. La plupart des surfaces étant irrégulières (même si souvent on ne peut le constater qu'au microscope), ce type de réflexion est le plus courant.

Lorsqu'on regarde un objet, la lumière qui s'y réfléchit pénètre directement dans les yeux, ce qui permet de voir l'objet à l'endroit où il se trouve en réalité. En revanche, lorsqu'on regarde un objet par le biais d'un miroir, les rayons se réfléchissent sur l'objet, puis sur le miroir avant d'entrer dans les yeux. Ce que l'on regarde est l'**image** de l'objet. Dans ce cas, elle semble être derrière le miroir.

Réflexion régulière des rayons lumineux

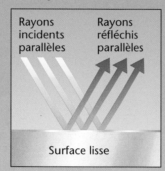

Rayons incidents parallèles

Rayons réfléchis parallèles

Surface lisse

★

Réflexion diffuse des rayons lumineux

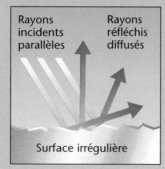

Rayons incidents parallèles

Rayons réfléchis diffusés

Surface irrégulière

★

LA RÉFRACTION DE LA LUMIÈRE

Lorsque des rayons lumineux traversent des milieux de densité différente, leur vitesse change. S'ils sont aussi déviés, ils deviennent des **rayons réfractés**. La différence de densité entre les milieux influe sur la vitesse et l'angle de réfraction. Les rayons accélèrent en entrant dans un milieu moins dense et ralentissent dans un milieu plus dense.

Par exemple, des rayons se réfléchissant sur un objet plongé dans l'eau font paraître l'objet distordu. En sortant de l'eau, ils sont réfractés parce que l'air est moins dense (voir également page 11).

Observe par toi-même

Pour mettre en évidence la réfraction de la lumière, observe sous différents angles une paille dans un verre d'eau. Elle semble tordue. Les lignes pleines du schéma montrent le trajet réel de la lumière. Mais le cerveau assume qu'elle se propage en ligne droite. Tu vois donc le bout de la paille en x.

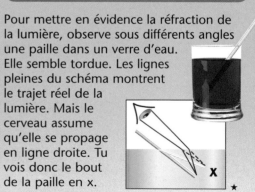

★

Les rayons de soleil qui percent la couche nuageuse prouvent que la lumière a une trajectoire rectiligne.

LA DIFFRACTION DE LA LUMIÈRE

Lorsque des rayons lumineux passent à travers un trou ou frappent le bord d'un objet opaque, ils sont diffractés, ou déviés (voir aussi page 11).

INTERFÉRENCE LUMINEUSE

Lorsque des rayons lumineux sont réfléchis ou diffractés, leurs trajectoires peuvent se croiser, engendrant des interférences. (Va à la page 11 pour en savoir plus sur l'interférence.)

Lors d'interférences lumineuses, certaines longueurs d'ondes sont renforcées et d'autres affaiblies. Certaines couleurs deviennent alors visibles. Ainsi, les couleurs visibles sur un disque compact ou sur des bulles de savon sont créées par des interférences.

Les teintes métalliques des ailes de ce papillon sont le résultat d'interférences lumineuses.

La face réfléchissante d'un CD est couverte de bosses minuscules. Quand la lumière pénètre dans les interstices, les ondes sont diffractées et créent des interférences. Sous différents angles, des couleurs apparaissent.

La face réfléchissante d'un disque compact diffracte la lumière blanche, révélant ses couleurs.

Les couleurs de l'arc-en-ciel apparaissent sur une bulle de savon quand la lumière réfléchie par la surface externe de la bulle interfère avec celle réfléchie par la surface interne.

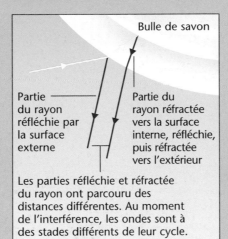

Bulle de savon

Partie du rayon réfléchie par la surface externe

Partie du rayon réfractée vers la surface interne, réfléchie, puis réfractée vers l'extérieur

Les parties réfléchie et réfractée du rayon ont parcouru des distances différentes. Au moment de l'interférence, les ondes sont à des stades différents de leur cycle.

Les couleurs changent continuellement, offrant des reflets irisés. C'est ce que l'on appelle l'**irisation**, que l'on voit également apparaître sur le corps de certains insectes et oiseaux.

LA POLARISATION

Les ondes lumineuses sont des vibrations se manifestant dans des champs électriques et magnétiques. Ces vibrations changent de direction des millions de fois par seconde, mais restent constamment perpendiculaires à la direction de l'onde.

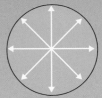

Une onde lumineuse ordinaire vue de face. Ses vibrations se dispersent dans plusieurs directions, comme indiqué.

Lorsque la lumière est **polarisée**, les vibrations ne se font plus que dans une direction, verticalement, par exemple.

L'onde lumineuse polarisée est filtrée afin que les vibrations soient rectilignes.

Les **lunettes de soleil polarisantes** filtrent toutes les vibrations de l'onde lumineuse qui ne vont pas dans une direction donnée. Cela protège les yeux de l'excès de réverbération.

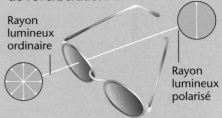

Rayon lumineux ordinaire

Rayon lumineux polarisé

Les lunettes de soleil polarisantes ne laissent passer que certaines vibrations rectilignes.

Liens Internet

Pour les liens vers ces sites, connecte-toi à : **www.usborne-quicklinks.com/fr**

Site 1
Surfe sur cet autre site général consacré à la lumière.

Site 2
Visite ce site très étonnant sur les illusions d'optique.

Site 3
Une autre foire aux questions : optique et lumière.

LENTILLES ET MIROIRS

Une **lentille** est un morceau de substance transparente dont les surfaces courbes dévient la lumière. Un **miroir** est une surface lisse et brillante qui réfléchit pratiquement toute la lumière. Lentilles et miroirs ont de nombreuses utilisations, en particulier dans les appareils photographiques et les télescopes.

LES LENTILLES

Les lentilles sont conçues pour que la lumière qui les traverse soit réfractée* (déviée) d'une manière particulière. Il en existe deux types principaux : convexe et concave. Une **lentille convexe** présente une ou deux faces bombées, tandis qu'une **lentille concave** a une ou deux faces en creux.

Cette photo-bulle de New-York a été prise à travers un objectif fisheye à 180° qui crée une image circulaire distordue.

Les lentilles convexes

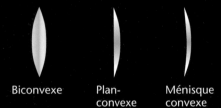

Biconvexe
Plan-convexe
Ménisque convexe

Les lentilles concaves

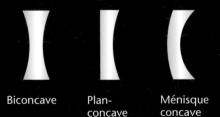

Biconcave
Plan-concave
Ménisque concave

Selon la façon dont elles réfractent la lumière, les lentilles sont convergentes ou divergentes. Par exemple, dans l'air, une lentille convexe en verre agit comme une lentille convergente et une lentille concave en verre comme une lentille divergente.

Le point de convergence, ou de focalisation, des rayons lumineux est appelé **foyer**. Des rayons lumineux parallèles qui traversent une **lentille convergente** sont dirigés vers son foyer.

Lentille convergente

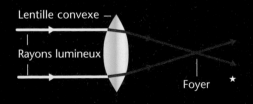

Lentille convexe —
Rayons lumineux
Foyer

Des rayons lumineux parallèles qui traversent une **lentille divergente** s'écartent.

Lentille divergente

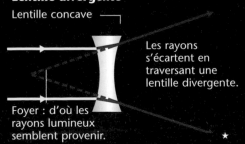

Lentille concave
Les rayons s'écartent en traversant une lentille divergente.
Foyer : d'où les rayons lumineux semblent provenir.

La taille et la position d'une image vue à travers une lentille convergente dépendent de la distance entre l'objet et la lentille. S'il se trouve très près de la lentille, l'image est à l'endroit et agrandie.

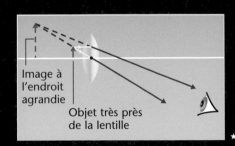

Image à l'endroit agrandie
Objet très près de la lentille

Si l'objet est plus éloigné de la lentille convergente, l'image est renversée.

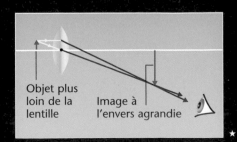

Objet plus loin de la lentille
Image à l'envers agrandie

*Réfraction, 11.

L'ŒIL ET LA VISION

Les yeux transforment la lumière qui se réfléchit sur un objet en image que le cerveau est apte à reconnaître. À l'avant de l'œil se trouve une lentille convexe convergente, le **cristallin**. Il focalise les rayons lumineux de façon qu'ils forment une image sur la **rétine**, la membrane tapissant le fond de l'œil. L'image est renversée, mais le cerveau la met à l'endroit.

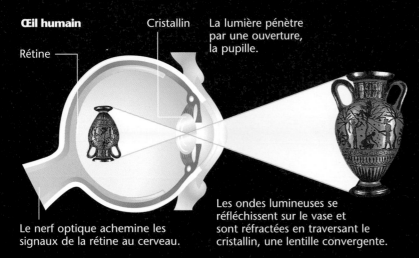

Œil humain

Cristallin

La lumière pénètre par une ouverture, la pupille.

Rétine

Le nerf optique achemine les signaux de la rétine au cerveau.

Les ondes lumineuses se réfléchissent sur le vase et sont réfractées en traversant le cristallin, une lentille convergente.

Les personnes atteintes de myopie voient flous les objets éloignés. Leurs cristallins réfractent trop les rayons lumineux et les images se forment à l'avant de la rétine.

Les hypermétropes (et les presbytes) voient mal les objets proches. Leurs cristallins ne réfractent pas suffisamment les rayons qui se focalisent derrière la rétine.

Myopie

Les rayons provenant d'un objet éloigné se focalisent à l'avant de la rétine.

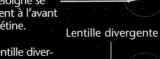

Lentille divergente

Une lentille divergente corrige ce défaut en focalisant les rayons sur la rétine.

Hypermétropie

Les rayons provenant d'un objet proche se focalisent derrière la rétine.

Lentille convergente

Une lentille convergente corrige ce défaut en focalisant les rayons sur la rétine.

Observe par toi-même

Observe ta réflexion dans le creux d'une cuillère en métal poli. Si tu tiens la cuillère très près de ton visage, ton reflet est agrandi. Si tu l'éloignes un peu, ton reflet est à l'envers. Pour comprendre ce qui se produit, étudie les deux schémas de droite en bas de la colonne.

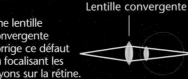

LES MIROIRS

Lorsque la lumière issue d'un objet frappe la surface lisse d'un miroir, elle est entièrement réfléchie. L'image obtenue est à l'endroit, de la même taille et à la même distance derrière le miroir que l'objet qui se trouve devant, mais la gauche et la droite sont inversées.

Les miroirs courbes dévient la lumière, créant différents types d'images. Ainsi, un **miroir convexe** dévie la lumière vers l'extérieur, formant une image à l'endroit mais plus petite.

Les rétroviseurs des voitures sont convexes.

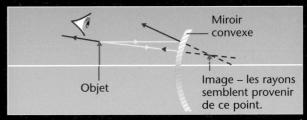

Miroir convexe

Objet

Image – les rayons semblent provenir de ce point.

★

Les **miroirs concaves** dévient vers l'intérieur. L'image d'un objet très proche d'un tel miroir est agrandie. Si l'objet est éloigné, l'image est à l'envers. L'intérieur d'une cuillère en métal poli se comporte comme un miroir concave.

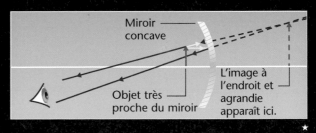

Miroir concave

Objet très proche du miroir

L'image à l'endroit et agrandie apparaît ici.

★

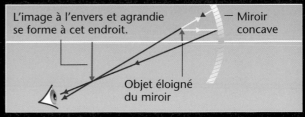

L'image à l'envers et agrandie se forme à cet endroit.

Miroir concave

Objet éloigné du miroir

★

Liens Internet

Pour les liens vers ces sites, connecte-toi à :
www.usborne-quicklinks.com/fr

Site 1
L'œil et les systèmes de compensation des défauts visuels.

Site 2
Les différents types de lentilles.

LES INSTRUMENTS D'OPTIQUE

Les **instruments d'optique** combinent lentilles et miroirs pour obtenir un certain type d'image, par exemple une image qui apparaît plus grande que si elle était vue à l'œil nu. Le principe de fonctionnement de divers instruments d'optique est expliqué dans les pages suivantes.

Les jumelles sont équipées de lentilles pour grossir les objets.

LE MICROSCOPE OPTIQUE

Grâce à un système de deux ou plusieurs lentilles, le **microscope** permet de grossir des objets minuscules. La loupe, le système le plus simple, est une lentille unique.

Dans un **microscope optique composé**, l'objet est d'abord grossi par l'**objectif**, puis par l'**oculaire**, qui produit l'image finale. Certains microscopes optiques grossissent jusqu'à 2 000 fois.

Microscope optique composé

1. L'**oculaire** réfracte (dévie) la lumière de l'objectif, remet l'image à l'endroit et l'agrandit.

2. La **vis micrométrique** contrôle la mise au point de l'image (netteté).

3. **Tube optique**

4. **Tourelle**. Elle porte trois objectifs, chacun donnant un grossissement différent.

5. L'**objectif** réfracte la lumière en provenance de l'objet pour former une image à l'envers agrandie. L'oculaire grossit davantage l'image.

6. **Platine**, où l'on place l'objet à examiner.

7. **Objet** placé sur une lame de verre

8. Pour éclairer l'objet, un **miroir** réfléchit la lumière du jour ou d'une lampe à travers un trou prévu dans la platine.

Grâce aux lentilles grossissantes, les scientifiques étudient la structure d'organismes vivants minuscules, comme cette coccinelle.

À l'œil nu, on ne peut distinguer de petits objets que s'ils sont séparés d'au moins un quart de millimètre. Le microscope peut distinguer des objets jusqu'à 1 000 fois plus rapprochés.

Les poils minuscules des pièces buccales de cette coccinelle ne peuvent être distingués à l'œil nu, mais apparaissent facilement quand l'insecte est grossi au microscope.

LES PÉRISCOPES

Un **périscope** est un tube vertical équipé d'un prisme (un bloc en verre dont deux faces plates forment un angle) à chaque extrémité. Les prismes servent à dévier la lumière dans les angles, ce qui permet de voir des objets qui se trouvent bien au-dessus de l'observateur. Dans un sous-marin par exemple, le périscope sert à regarder à la surface.

Schéma d'un périscope

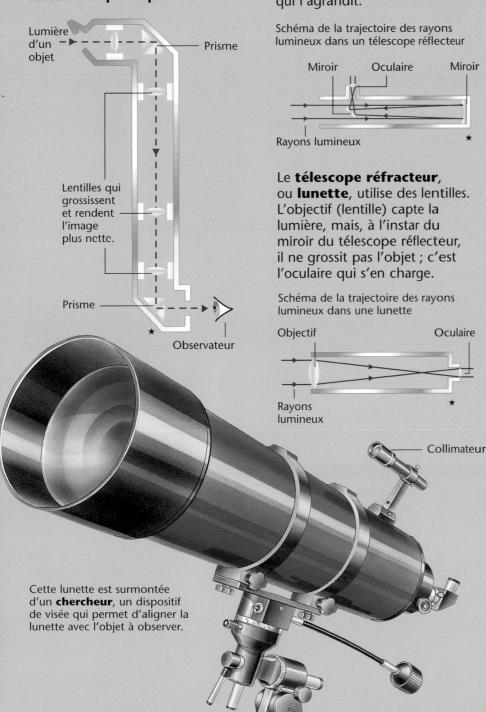

Lumière d'un objet

Prisme

Lentilles qui grossissent et rendent l'image plus nette.

Prisme

Observateur

Cette lunette est surmontée d'un **chercheur**, un dispositif de visée qui permet d'aligner la lunette avec l'objet à observer.

LES TÉLESCOPES

Les **télescopes** rapprochent, et donc agrandissent, les objets lointains. Ils servent souvent à observer des objets célestes, comme les étoiles. Il existe deux types de télescopes : réflecteur et réfracteur.

Le **télescope réflecteur** capte la lumière grâce à un miroir courbe. La lumière se réfléchit sur un second miroir et l'image est focalisée devant l'oculaire, qui l'agrandit.

Schéma de la trajectoire des rayons lumineux dans un télescope réflecteur

Miroir   Oculaire   Miroir

Rayons lumineux

Le **télescope réfracteur**, ou **lunette**, utilise des lentilles. L'objectif (lentille) capte la lumière, mais, à l'instar du miroir du télescope réflecteur, il ne grossit pas l'objet ; c'est l'oculaire qui s'en charge.

Schéma de la trajectoire des rayons lumineux dans une lunette

Objectif   Oculaire

Rayons lumineux

Collimateur

Observe par toi-même

Tu peux regarder les étoiles avec une paire de jumelles.

Les jumelles existent en différentes tailles et puissances indiquées par des nombres, comme 7 x 35 ou 10 x 50. Le premier chiffre est le grossissement, le second le diamètre en millimètres des objectifs frontaux. Plus ceux-ci sont larges, plus ils captent de lumière et mieux ils peuvent distinguer des étoiles peu lumineuses.

À l'œil nu, les étoiles sont de petits points lumineux.

À travers des jumelles, des détails deviennent visibles.

Pour empêcher tes mains de trembler, tu peux poser tes jumelles sur un plan fixe, un mur ou une barrière, par exemple. Tu obtiendras ainsi une meilleure vision des étoiles.

Un bon télescope peut révéler les étoiles plus en détail.

Un bon télescope permet de distinguer un plus grand nombre d'étoiles distantes.

Liens Internet

Pour les liens vers ces sites, connecte-toi à : **www.usborne-quicklinks.com/fr**

Site 1
Voici quelques notions d'optique pour les astronomes amateurs.

Site 2
Les télescopes : généralités, histoire, du futur, radiotélescopes.

Site 3
La microscopie t'intéresse ? Documente-toi sur le microscope et son utilisation.

Site 4
Un autre site sur le microscope, et tu peux évaluer tes connaissances.

APPAREIL PHOTO ET CAMÉRA

Les **appareils photographiques** et les **caméras** sont des instruments d'optique qui enregistrent des images grâce à des lentilles focalisant la lumière sur un film. Les premiers appareils photos impressionnaient des images sur des plaques en verre ou en métal enduites de substances photosensibles. Un appareil moderne utilise un film photosensible. Les appareils numériques, inventés dans les années 1990, stockent les images sur des supports informatiques.

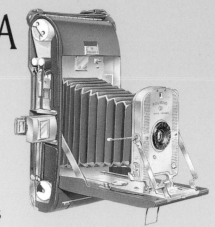

Un des premiers appareils Polaroid. Un film Polaroid se développe instantanément. Ainsi, on peut voir une photo aussitôt après l'avoir prise.

PRINCIPE DE LA PHOTOGRAPHIE

La lumière pénètre dans l'appareil à travers une lentille (objectif). Le **diaphragme** agit sur l'**ouverture** de l'objectif et contrôle la quantité de lumière, ou **exposition**, qui impressionne la pellicule du film. La durée d'exposition à la lumière est réglée par la **vitesse d'obturation**.

Appareil photographique reflex à un objectif

Dans ce type d'appareil, la lumière qui entre par l'objectif est réfléchie par un miroir, puis réfractée à travers un prisme vers une fenêtre, l'**oculaire du viseur**, par laquelle le photographe voit exactement la même image que l'objectif.

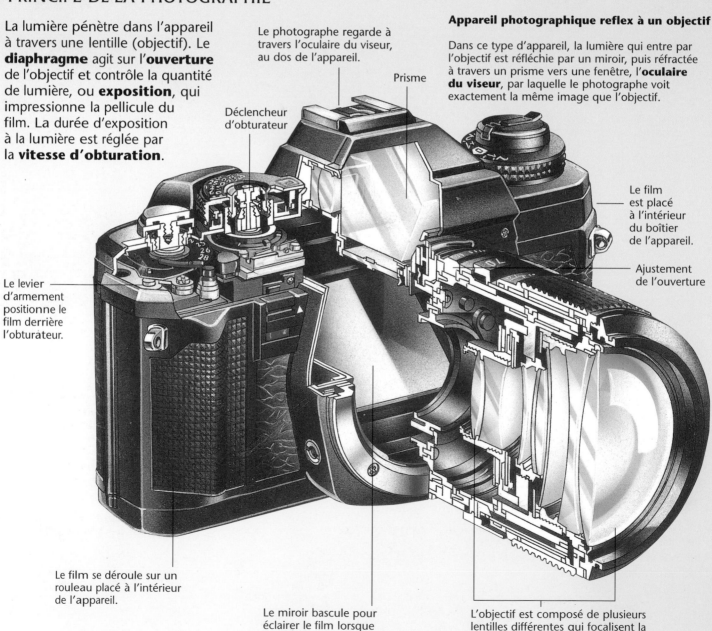

Le photographe regarde à travers l'oculaire du viseur, au dos de l'appareil.

Prisme

Déclencheur d'obturateur

Le film est placé à l'intérieur du boîtier de l'appareil.

Ajustement de l'ouverture

Le levier d'armement positionne le film derrière l'obturateur.

Le film se déroule sur un rouleau placé à l'intérieur de l'appareil.

Le miroir bascule pour éclairer le film lorsque l'obturateur se déclenche.

L'objectif est composé de plusieurs lentilles différentes qui focalisent la lumière vers le film.

LA PELLICULE PHOTO

La **pellicule photographique** est un support enduit d'un produit photosensible à base de nitrate d'argent. La réaction de la pellicule dépend de la quantité de lumière à laquelle elle a été exposée.

Le film exposé est plongé dans des bains chimiques qui révèlent l'image et stoppent la photosensibilité. Ce processus est appelé **développement**.

Film positif (ou **diapositive**) qui montre l'image en couleurs réelles.

Film négatif. Les parties sombres apparaissent en clair et les parties claires, en sombre.

Pour obtenir le tirage final, le film négatif développé est projeté sur du papier photosensible.

LE CINÉMA

Les **caméras** enregistrent des images sur de très longues bandes de pellicules photographiques. Une caméra prend 25 photos, ou **images**, par seconde. Le film est développé de la même manière qu'avec un appareil photographique.

— Le film est logé dans un magasin qui se fixe sur la caméra.

Le film est visionné grâce à un projecteur à la vitesse de 25 images par seconde. Les images défilent si vite que le cerveau n'a pas le temps de les enregistrer séparément, d'où le phénomène de **persistance des images rétiniennes**.

* Code binaire, 44.

Observe par toi-même

Tu peux mettre en évidence la persistance des images rétiniennes en fabriquant ton propre « film » sur un petit bloc de papier.

Sur la dernière page, dessine un personnage simple. Tourne la page et trace le même personnage, mais légèrement différent. Dessine-le sur au moins 20 pages en modifiant un peu sa position à chaque fois.

Feuillette les pages rapidement, le personnage semble bouger.

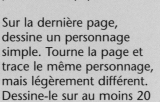

CAMÉRA DE TÉLÉVISION

Les **caméras de télévision** n'utilisent pas de film ; elles transforment la lumière qu'elles reçoivent en signaux électriques.

Ces signaux transitent le long d'un câble pour servir lors d'une émission en direct, ou sont enregistrés sur cassette ou sur support informatique pour être retransmis plus tard.

La caméra de studio de télévision, lourde, doit être posée sur une tourelle.

LE CAMÉSCOPE

Le **caméscope** associe une caméra de télévision et un magnétoscope. Des lentilles dirigent l'image sur un **capteur optique** (**CCD**), une minuscule partie électronique photosensible. Le CCD produit des signaux électriques qui sont enregistrés sur une cassette vidéo.

Ce petit caméscope peut tenir dans la paume de la main.

LA CAMÉRA NUMÉRIQUE

Les **caméras numériques** enregistrent les images sur un CCD. Les images sont décomposées en minuscules carrés de couleur, les **pixels** ou **points image**. Les informations concernant les pixels sont stockées dans la mémoire de la caméra sous la forme d'un code binaire*. Les pixels se combinent quand on veut imprimer une image ou la voir sur l'écran d'un ordinateur.

Le degré de détail d'une image est sa **résolution**. Plus la caméra numérique crée de pixels dans une image, plus sa résolution est élevée.

Image basse résolution

Image haute résolution

Liens Internet

Pour les liens vers ces sites, connecte-toi à : **www.usborne-quicklinks.com/fr**

Site 1
Un dossier complet sur la photographie (histoire, principales techniques, etc.).

Site 2
Sur ce site interactif et amusant, tu pourras réaliser ton propre clip vidéo.

Site 3
Explore le site de Nikon et découvre le monde de la photo numérique...

Site 4
Et celui de Canon.

TÉLÉVISION ET RADIO

L es premières transmissions radio datent d'un siècle. La télévision fut inventée en 1926. Les premiers signaux ne pouvaient être transmis que sur de courtes distances. De nos jours, les satellites de télécommunication retransmettent instantanément des signaux clairs dans le monde entier.

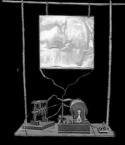

Cette toute première radio, appelée « téléphone de Marconi », a été inventée par l'italien Marconi.

LA RADIODIFFUSION

La plupart des émissions de radio et de télévision sont diffusées via des **ondes radio**, des bandes d'ondes du spectre électromagnétique* de différentes fréquences* et longueurs d'onde*.

Ondes radio

Les ondes radio sont les plus longues du spectre électromagnétique.

Avant la diffusion, les sons et les images doivent d'abord être convertis en signaux électriques. Les sons sont convertis par le biais de microphones, et les images par des caméras.

La radiodiffusion

Grâce aux satellites en orbite autour de la Terre qui les relaient ou à l'atmosphère qui les réfléchit, les signaux portés par les ondes radio voyagent sur de longues distances.

Partie de l'atmosphère appelée ionosphère

Les antennes satellites diffusent des ondes radio en direction des satellites en orbite.

Les antennes de radiodiffusion envoient des ondes radio dans toutes les directions.

Les ondes de très haute fréquence traversent l'atmosphère. Elles sont relayées par des satellites qui peuvent les renvoyer à des distances considérables.

Onde réfléchie par l'ionosphère

Les signaux des satellites arrivent sur des antennes, puis sont diffusés vers les postes récepteurs des particuliers.

LA MODULATION

Pour permettre leur diffusion, les signaux électriques des sons et des images doivent être altérés par une méthode appelée **modulation**, c'est-à-dire qu'ils sont mélangés à des ondes radio, ou **ondes porteuses**.

Soumise à la modulation, l'onde porteuse change de forme en fonction des signaux électriques des sons et des images. C'est ce que montre le schéma illustré ci-contre.

La **modulation de fréquence (FM)** altère les signaux électriques de manière qu'ils adoptent la fréquence de l'onde porteuse. La **modulation d'amplitude (AM)** altère les signaux électriques pour qu'ils adoptent l'amplitude* de l'onde porteuse.

— Signal sonore

— Onde porteuse

Onde en modulation de
★ fréquence (FM)

LE PRINCIPE DE LA RADIO

Le récepteur radio reçoit les ondes radio aériennes modulées et les convertit en signaux électriques très faibles.

Les postes de radio reçoivent de nombreux signaux différents. Le tuner sert à sélectionner la longueur d'onde de la station souhaitée.

Les signaux sont amplifiés et le haut-parleur les transforme en sons audibles.

LE PRINCIPE DE LA TÉLÉVISION

Les signaux électriques de télévision sont transportés par des ondes radio. Le téléviseur convertit ces signaux en sons et en images : le son de la même façon que dans un poste de radio ; les images par l'intermédiaire d'un **tube cathodique**. Les images sont constituées d'environ 350 000 minuscules **points image**, ou **pixels**.

Tube cathodique

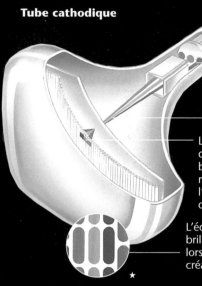

Les signaux électriques sont convertis en trois faisceaux d'électrons par un canon à électrons : un pour le rouge, un pour le bleu et un pour le vert.

Les faisceaux sont dirigés sur l'écran via un tube.

Les faisceaux d'électrons balayent rapidement l'écran en variant d'intensité.

L'écran est couvert de pixels qui brillent en rouge, en bleu ou en vert lorsque les faisceaux les balayent, créant une image animée.

LE CÂBLE

Les signaux de radio et de télévision peuvent aussi voyager le long d'un câble. En effet, un câble peut véhiculer plus de signaux que l'atmosphère. La télévision par câble offre donc davantage de chaînes. Il existe un réseau étendu de câbles souterrains qui peuvent également servir à transmettre des signaux téléphoniques.

Les signaux de radio et de télévision sont transmis par des câbles en fibres optiques.

LA TÉLÉVISION NUMÉRIQUE

Vers 2010, la plupart des transmissions seront **numériques**. En effet, les signaux électriques peuvent être transformés en signaux numériques. Les informations prennent alors la forme d'un code à base de 0 et de 1, à la façon d'un message en morse.

Ce code numérique est intégré et transporté par des ondes radio. L'information numérique peut être compressée (voir la vitesse de transmission, page 51), ce qui permet d'en envoyer davantage. En conséquence, les opérateurs de télévision pourront bientôt proposer plus de chaînes.

LA TÉLÉVISION INTERACTIVE

Grâce au numérique, la télévision sera bientôt **interactive**. Le spectateur pourra envoyer des informations via son téléviseur pour regarder un programme de son choix à n'importe quel moment, faire des achats, ou même participer à des jeux et à des compétitions.

Télévision montrant un jeu interactif qui se joue pendant un match de football.

Les joueurs font des pronostics sur l'issue du match qu'ils valident auprès de la chaîne. Si ceux-ci se réalisent, les joueurs gagnent immédiatement des prix.

TÉLÉ PAR SATELLITE

Les opérateurs de télévision par satellite font transiter les signaux par des satellites. Ceux-ci sont réceptionnés par une petite antenne parabolique fixée à l'extérieur des habitations.

L'antenne focalise le signal télé dans un récepteur qui le véhicule, via un câble, jusqu'au poste de télévision.

Récepteur

Antenne satellite

Câble

Observe par toi-même

Regarde l'écran de ton téléviseur avec une loupe lorsqu'il est allumé. Tu pourras voir les pixels qui constituent l'image.

Liens Internet

Pour les liens vers ces sites, connecte-toi à :
www.usborne-quicklinks.com/fr

Site 1
Cent ans d'histoire de la radio.

Site 2
Surfe sur ce site consacré à l'histoire de la télévision, tu y trouveras une foule d'informations (les grandes étapes, les hommes qui ont contribué à son développement, etc.).

L'ÉLECTRICITÉ

L'éclair est une forme d'électricité.

L'électricité est une forme d'énergie très utile qui peut facilement être convertie en chaleur ou en lumière. En outre, son transport est facile, car elle peut voyager le long de câbles. On l'utilise pour faire fonctionner de nombreux appareils, du rasoir à l'ordinateur, et pour chauffer et éclairer les bâtiments.

LA CHARGE ÉLECTRIQUE

La matière est constituée d'unités microscopiques, les **atomes**. Au centre de chaque atome se trouve un **noyau** qui contient des particules : les **protons**, dont la charge est positive, et les **neutrons**, qui n'ont pas de charge. Des particules de charge négative, les **électrons**, circulent autour du noyau. Généralement, le nombre de protons est égal à celui des électrons, de façon que les charges s'annulent et que l'atome soit électriquement neutre.

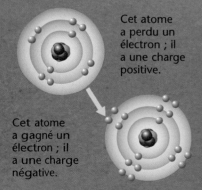

— Proton (charge positive)
— Neutron (pas de charge)
— Électron (charge négative)

Un atome peut gagner ou perdre des électrons. S'il gagne des électrons, sa charge devient négative (-) ; s'il en perd, elle devient positive (+).

Cet atome a perdu un électron ; il a une charge positive.

Cet atome a gagné un électron ; il a une charge négative.

Si des particules chargées sont proches l'une de l'autre, elles exercent des **forces électriques** ou **électrostatiques** (attraction ou répulsion). La zone dans laquelle la force agit est le **champ électrique** ou **électrostatique**.

Des particules de charge opposée (positive et négative) s'attirent, alors que des particules de même charge, par exemple deux charges positives, se repoussent.

Les atomes ayant des charges opposées s'attirent.

Les atomes ayant les mêmes charges se repoussent.

L'**électricité** est l'effet engendré par la présence ou le mouvement de particules chargées.

LE COURANT ÉLECTRIQUE

Dans certains matériaux, comme les métaux, une partie des électrons n'est pas retenue par les atomes et peut circuler entre eux. Si on provoque leur déplacement, il se forme un flux, ou **courant électrique**. Les matériaux dans lesquels le courant peut circuler sont des **conducteurs**. D'autres matériaux, comme le plastique, ne conduisent pas le courant ; ils sont **isolants**.

Le bois et le plastique sont des isolants.

L'aluminium est un conducteur.

Les câbles électriques sont en général faits de fils en cuivre recouverts de plastique isolant.

Un flux d'électrons peut circuler.

Les électrons ne peuvent pas circuler.

★

Observe par toi-même

Pour mettre en évidence l'effet des charges électriques, fixe avec du scotch en haut d'une porte deux fils en nylon espacés d'environ 2,5 cm. Accroche un ballon à chaque fil de façon qu'ils se touchent et pendent à la même hauteur, puis frotte-les avec une étoffe ou un pull en laine. Ils se chargent négativement et se repoussent. Si tu glisses ta main entre eux, ils se rapprochent, car elle a une charge positive.

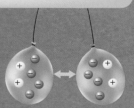

Les charges de même nature se repoussent.

L'ÉLECTRICITÉ STATIQUE

Certains matériaux isolants peuvent se charger lorsqu'on les frotte. Des électrons se trouvent alors transférés d'un matériau sur l'autre. En l'absence d'un conducteur, la charge ne peut s'évacuer, elle se concentre donc à la surface du matériau. La charge électrique ainsi retenue porte le nom d'**électricité statique**.

L'illustration ci-dessous montre comment l'électricité statique se crée si l'on frotte un pull en laine sur un ballon.

Avant d'être frottés, le ballon et le pull sont électriquement neutres.

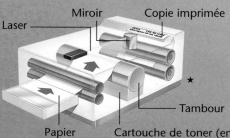

Au cours du frottement, des électrons du pull passent sur le ballon. Celui-ci acquiert une charge négative tandis que le pull devient positif. Ils collent l'un à l'autre, car leurs charges opposées s'attirent mutuellement.

Des appareils, comme l'imprimante laser ou le photocopieur, utilisent l'électricité statique au cours de leur processus d'impression.

Dans une imprimante laser, le rayon laser, réfléchi par un miroir, dessine des points d'électricité statique sur un tambour. Le toner, qui se fixe sur ces points, est appliqué sur le papier.

LES ÉCLAIRS

Les **éclairs** sont provoqués par l'électricité statique qui se forme lorsque gouttes d'eau et cristaux de glace en formation se frottent les uns contre les autres sous l'effet de vents forts dans les nuages d'orage.

Les gouttes d'eau et les cristaux de glace se chargent en se frottant les uns contre les autres dans l'air.

Les charges positives se rassemblent dans le haut du nuage tandis que les charges négatives migrent vers la base. Simultanément, des charges positives se rassemblent au sol, à la verticale du nuage.

Une étincelle géante, le **précurseur**, ou **traceur**, jaillit du nuage pour aller à la rencontre de la charge opposée du sol. Elle ouvre simultanément un passage qu'emprunte aussitôt un puissant éclair qui remonte du sol vers le nuage, le **contre-précurseur** ou **précurseur de capture**.

La foudre a une puissance électrique phénoménale, qui se transforme en lumière et chaleur (les éclairs), et en son, le tonnerre.

L'accumulation de charges négatives à la base du nuage provoque la migration des charges positives du sol.

Lorsque la foudre frappe, la décharge électrique qui circule entre le nuage et le sol annule la différence de charge.

L'air chauffé par les éclairs se dilate très rapidement, c'est ce qui provoque le bruit du **tonnerre**. La lumière voyage plus vite que le son, aussi, à moins que l'orage soit juste à la verticale de l'observateur, celui-ci voit l'éclair avant d'entendre le tonnerre.

La décharge de foudre, ou éclair en zigzag, se ramifie en cherchant son passage vers le sol.

Liens Internet

Pour les liens vers ces sites, connecte-toi à : **www.usborne-quicklinks.com/fr**

Site 1
Un dossier sur l'électricité, avec des thèmes associés pour plus d'information.

Site 2
La découverte de l'électricité statique.

Site 3
L'histoire de l'atome, les protons, les électrons et les neutrons.

Site 4
Un dossier sur la foudre.

Site 5
Une rubrique générale sur l'électricité et l'électromagnétisme.

LES CIRCUITS

Le courant électrique circule d'un endroit à un autre à condition qu'il existe une **différence de potentiel**. On peut comparer ce phénomène à l'eau qui coule dans des canalisations grâce à la différence de pression. La différence de potentiel (ddp) se mesure en **volts** (**V**). On l'appelle aussi la **tension**. L'unité de mesure de l'intensité du courant est l'**ampère** (**A**).

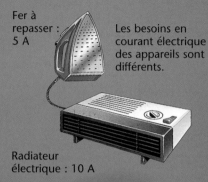

Fer à repasser : 5 A

Les besoins en courant électrique des appareils sont différents.

Radiateur électrique : 10 A

Pour qu'un courant circule, il doit y avoir une source d'énergie, comme une pile (voir ci-contre), reliée à un circuit conducteur fermé, comme une boucle de fil en cuivre. On parle alors de **circuit électrique**. La source d'énergie a deux **pôles** (ou **bornes**) de charge opposée, qui marquent le départ et l'arrivée du circuit.

Pôles

Il existe une différence de potentiel entre les pôles d'une pile. Lorsqu'on les raccorde, un circuit est formé et le courant circule.

On peut ajouter des **composants**, des ampoules par exemple, à un circuit. Ils convertissent l'énergie électrique du courant en lumière et en chaleur. Les composants d'un circuit peuvent être disposés de deux façons : en série ou en parallèle.

Dans le **circuit en série**, le courant traverse les composants l'un après l'autre. Si l'un d'eux ne fonctionne pas, le circuit est interrompu et le courant ne passe plus. Par exemple, dans une guirlande électrique, si l'une des ampoules est grillée, cela coupe le courant dans les autres.

Dans un circuit en série, le courant passe dans les composants successivement.

Pile

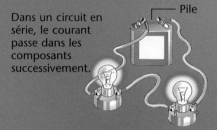

Un **circuit en parallèle** offre plusieurs trajets au courant. Si l'un des composants d'un trajet tombe en panne, le courant passe toujours par l'autre trajet.

Dans ce circuit en parallèle, le courant traverse les composants en empruntant différents trajets simultanément.

L'ÉLECTRICITÉ DOMESTIQUE

L'alimentation en courant domestique est de 240 V (110 V dans certains pays). Une telle tension peut provoquer l'électrocution. Les appareils sont protégés par des **fusibles** contenant un fil très fin. Lorsque l'intensité du courant est trop forte, il fond et coupe le circuit.

Fusible (une partie de la gaine a été enlevée)

Fil fusible

L'électricité est distribuée dans les différentes parties de la maison par des circuits parallèles constitués de deux fils, le **fil sous tension** et le **neutre**, qui transportent le courant. Souvent, par mesure de sécurité, un **fil de terre**, conducteur, relie l'installation à la terre et permet d'évacuer le courant en cas de problème de surtension.

Lorsqu'une prise est branchée, les fiches se connectent aux points sous tension et neutre du circuit.

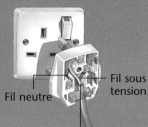

Fil neutre

Fil sous tension

Prises à deux fiches

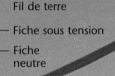

Fil de terre

Fiche sous tension

Fiche neutre

Dans ce poste de distribution électrique, le transformateur sert à abaisser l'énorme tension électrique provenant de la centrale. Le courant est ensuite acheminé par câbles vers les habitations et les usines.

PILES ET BATTERIES

Une **batterie** est une réserve d'énergie chimique qui peut être convertie en énergie électrique. La **pile sèche** (voir l'illustration ci-dessous) est une petite batterie d'usage courant dans les habitations. Elle contient une pâte, l'**électrolyte**, dans laquelle se trouvent des particules chargées qui peuvent se déplacer. Les réactions chimiques séparent les charges : les charges positives se déplacent vers un pôle et les négatives vers l'autre.

Les batteries produisent un courant électrique unidirectionnel appelé **courant continu (DC)**.

Les piles de 1,5 V, comme celles utilisées dans un poste de radio, sont à un **seul élément**. Les batteries contiennent plusieurs éléments.

Pile simple

Batterie de 9 V contenant six éléments.

Les piles sèches sont des **piles primaires**. Lorsque le produit chimique de l'électrolyte est usé, la pile est morte. Les **piles secondaires**, ou **batteries d'accumulateurs**, peuvent être rechargées. Une batterie de voiture est un type de pile secondaire. Elle se recharge en permanence grâce au courant électrique généré par la voiture.

La **cellule photovoltaïque**, ou **photopile**, convertit l'énergie solaire en électricité. La lumière qui tombe sur deux couches de silicium provoque le mouvement des électrons, créant une différence de potentiel entre les couches.

Lumière solaire

Genre de photopile utilisée dans une calculette

Récupérateur de courant

Électricité

Couches de silicium

★

Coupe d'une pile sèche

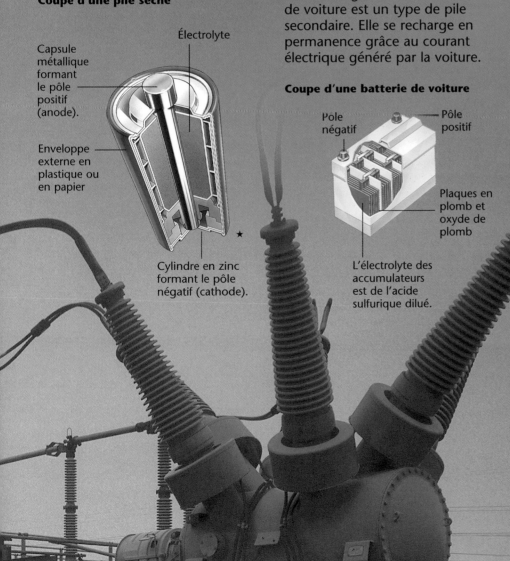

Électrolyte

Capsule métallique formant le pôle positif (anode).

Enveloppe externe en plastique ou en papier

★

Cylindre en zinc formant le pôle négatif (cathode).

Coupe d'une batterie de voiture

Pôle négatif

Pôle positif

Plaques en plomb et oxyde de plomb

L'électrolyte des accumulateurs est de l'acide sulfurique dilué.

Observe par toi-même

Tu peux fabriquer une pile simple avec 12 pièces de monnaie en cuivre et autant de rondelles en papier absorbant et en feuille d'aluminium. Avec une pièce, dessine et découpe 12 cercles sur chaque feuille. Dilue 10 cuillers à café de sel dans une tasse d'eau et humidifie les rondelles dedans.

Prépare les éléments en intercalant une rondelle d'aluminium, une de papier et une pièce. Colle le bout dénudé d'un fil en cuivre sur la pièce du dessus, et celui d'un autre sur le dessous de la pile. Mets en contact les extrémités libres des fils : tu vois une étincelle (dans une pièce sombre).

Liens Internet

Pour les liens vers ces sites, connecte-toi à : **www.usborne-quicklinks.com/fr**

Site 1
Des expériences sur l'électricité.

Site 2
Énergie solaire et cellules photovoltaïques.

LE MAGNÉTISME

Le **magnétisme** est une force invisible qui attire certains métaux, surtout le fer et l'acier. Les matériaux qui ont cette propriété sont dits **magnétiques**. On les appelle des **aimants**.

LES PÔLES

Si on fait flotter un aimant dans un liquide ou si on le suspend par un fil attaché en son milieu, il pointera toujours dans la direction nord-sud. La partie de l'aimant qui pointe vers le nord est le **pôle nord** ; la partie qui pointe vers le sud, le **pôle sud**.

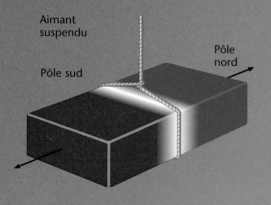

Aimant suspendu

Pôle sud

Pôle nord

Les pôles nord et sud de deux aimants **s'attirent**, tandis que deux pôles identiques se repoussent. Cette propriété est appelée **répulsion** de l'aimant.

Deux pôles identiques se repoussent.

Deux pôles opposés s'attirent.

LES TYPES D'AIMANTS

Les matériaux que l'on peut facilement magnétiser (transformer en aimant) sont dits **ferromagnétiques**. Ils sont doux ou durs.

Les matériaux ferromagnétiques doux, comme le fer, perdent rapidement leur magnétisme. Les aimants de cette nature sont appelés **aimants temporaires**. Les matériaux ferromagnétiques durs, comme l'acier, conservent leurs propriétés magnétiques beaucoup plus longtemps. On les utilise pour faire des **aimants permanents**.

Ces trombones, qui forment une chaîne, se sont magnétisés au contact de l'aimant. Chacun d'eux est devenu un aimant temporaire.

Ils perdent leur magnétisme si on retire l'aimant.

L'aiguille de cette boussole est un aimant permanent. Elle pointe vers le pôle nord magnétique de la Terre.

Certains oiseaux migrateurs, comme cette sterne, se guident probablement grâce au champ magnétique terrestre.

DOMAINES MAGNÉTIQUES

Dans un matériau ferromagnétique, les molécules agissent comme de minuscules aimants, appelés **dipôles**. Tous les dipôles qui pointent dans la même direction se regroupent, formant ainsi des **domaines**. Lorsque le matériau est magnétisé, les domaines s'alignent tous dans la même direction. Le matériau perd son magnétisme si les domaines se désorganisent.

Dans un matériau magnétique non magnétisé, la direction des domaines est aléatoire.

Si le matériau est magnétisé, les domaines s'alignent, leurs pôles pointant tous dans la même direction.

L'aimant est constitué de dipôles associés et ordonnés. Individuellement, cependant, chaque dipôle cherche à se retourner, ses pôles étant attirés par les pôles opposés de l'aimant. En tournant, ils font perdre son magnétisme à l'aimant.

Un **contact** métallique posé en travers des pôles de l'aimant maintient son magnétisme. Le contact se magnétise et attire les dipôles de l'aimant vers ses propres pôles.

Aimants

Contacts

LES CHAMPS MAGNÉTIQUES

Le **champ magnétique** est la zone entourant l'aimant dans laquelle les objets sont affectés par sa force magnétique. La force et la direction du champ peuvent être visualisées par un ensemble de **lignes de force** (ou **de flux** ou **de champ**). Les flèches indiquent leur direction. Là où les lignes sont rapprochées, le champ magnétique est le plus fort.

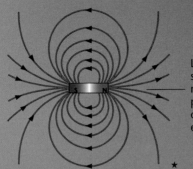

Les lignes de force indiquent la direction du champ magnétique autour de l'aimant.

Les lignes sont plus rapprochées près des pôles, où le champ est le plus fort.

La Terre a son propre champ magnétique. Tout se passe comme si son centre renfermait un aimant géant. Le pôle nord de la boussole pointe vers le **nord magnétique**, et le pôle sud vers le **sud magnétique**, qui sont différents des pôles Nord et Sud géographiques.

Ces lignes de force visualisent la direction du champ magnétique terrestre.

L'ÉLECTROMAGNÉTISME

Un courant électrique qui circule dans un fil engendre un champ magnétique. Cet effet est appelé **électromagnétisme**.

Si le fil est embobiné, le champ magnétique devient plus fort. Lorsqu'un courant traverse une telle bobine, appelée **solénoïde**, elle se comporte comme un aimant. La zone à l'intérieur de la bobine est son **noyau**.

Quand on place une barre d'un matériau ferromagnétique doux à l'intérieur de la bobine, celle-ci se magnétise rapidement et son champ magnétique s'additionne à celui du solénoïde. L'ensemble du solénoïde et de son noyau ferromagnétique forme un **électroaimant**. Va à la page suivante pour en savoir plus sur l'utilisation des électroaimants.

Électroaimant simple

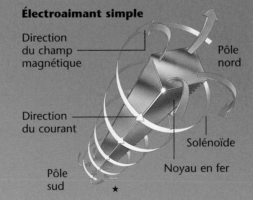

Direction du champ magnétique

Pôle nord

Direction du courant

Solénoïde

Noyau en fer

Pôle sud

La position des pôles nord et sud d'un électroaimant dépend de la direction du courant dans le fil.

Un courant qui circule dans le sens inverse des aiguilles d'une montre engendre un pôle nord.

Un courant circulant dans le sens des aiguilles d'une montre donne un pôle sud.

Observe par toi-même

Pour matérialiser un champ magnétique, saupoudre une feuille en plastique transparent ou de papier blanc avec de la limaille de fer. Place ensuite un aimant au-dessous. La limaille de fer s'alignera sur les lignes de force.

Feuille en plastique transparent

Liens Internet

Pour les liens vers ces sites, connecte-toi à : **www.usborne-quicklinks.com/fr**

Site 1
Un dossier très complet sur les aimants et le magnétisme (supraconducteur, magnétite, boussole, utilisation, etc.).

Site 2
Une page sur le champ magnétique terrestre.

Site 3
Un dossier sur le magnétisme et l'électromagnétisme, avec de nombreux schémas, dont celui d'un solénoïde.

UTILISATION DES ÉLECTROAIMANTS

Les électroaimants contiennent souvent du fer, un matériau ferromagnétique doux. Le fer perd son magnétisme lorsque le courant est coupé dans l'électroaimant. Pour cette raison, les électroaimants ont de nombreuses applications : interrupteurs, sonnettes, etc…

Quand on appuie sur le bouton d'une sonnette électrique, par exemple, le courant passe dans la bobine de l'électroaimant et attire un bras métallique. En se rapprochant de l'électroaimant, il perd le contact avec le courant, interrompant le circuit. Le bras, tiré en arrière par un ressort, entraîne un marteau qui frappe une sonnette. Cela rétablit le circuit et le cycle recommence.

Sonnette électrique

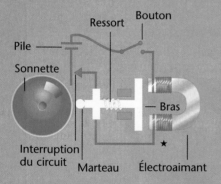

Pile · Ressort · Bouton · Sonnette · Interruption du circuit · Marteau · Bras · ★ · Électroaimant

Observe par toi-même

Tu peux fabriquer un électroaimant avec une pile de 4,5 V, un crayon, un grand clou en fer et du fil de cuivre isolé. Pour faire le solénoïde*, enroule le fil étroitement autour du crayon et relie les extrémités à la pile. L'électroaimant est assez puissant pour perturber l'aiguille d'une boussole, mais trop faible pour attirer des objets. Mais si tu remplaces le crayon par le clou, il attirera des trombones.

Électroaimant simple

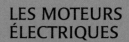
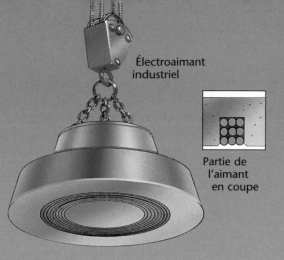

Électroaimant industriel

Partie de l'aimant en coupe

Des électroaimants très puissants sont utilisés dans la métallurgie pour soulever de lourdes charges. Lorsque le courant passe dans la bobine, le fer se magnétise. Il attire l'acier, que l'on peut alors déplacer. Pour libérer la charge, il suffit de couper le courant.

Le train japonais à **lévitation magnétique** (**maglev**) est monté sur des électroaimants. Il circule sur des rails équipés d'électroaimants. Les aimants, qui se repoussent, soulèvent légèrement le train au-dessus des rails, ce qui réduit les frottements. L'énergie nécessaire au train pour avancer est donc moins importante.

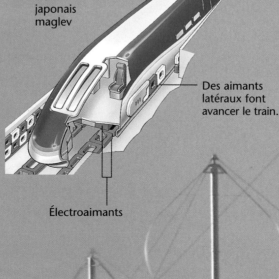

Train japonais maglev

Des aimants latéraux font avancer le train.

Électroaimants

LES MOTEURS ÉLECTRIQUES

Les **moteurs électriques** transforment l'énergie électrique en mouvement (énergie mécanique). On peut faire un moteur électrique simple (voir l'illustration ci-dessous) avec une bobine plate, appelée **induit**, placée entre deux aimants.

Lorsque le courant passe à travers l'induit, la combinaison de son champ électromagnétique et des champs magnétiques des aimants entraîne sa rotation.

Moteur électrique simple

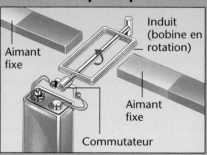

Induit (bobine en rotation) · Aimant fixe · Aimant fixe · Commutateur

Lorsque l'induit se trouve en position verticale, le **commutateur** inverse le courant électrique, ce qui provoque l'inversion du champ magnétique de l'induit. Le côté de l'induit qui était entraîné vers le haut est attiré vers le bas. L'induit effectue un tour complet et le cycle recommence.

LES UTILISATIONS

Les moteurs électriques font marcher toutes sortes d'appareils : machines à laver, sèche-cheveux, jouets électriques...
Des **moteurs microscopiques** (voir ci-dessous) ont aussi été développés pour la microchirurgie et la recherche spatiale.

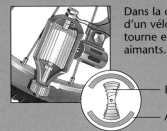

Vue éclatée d'un moteur électrique puissant

★ Boîtier externe

Commutateur

L'aimant engendre un champ magnétique fixe.

L'induit tourne dans le champ magnétique.

Ce micromoteur Toshiba mesure 0,8 mm, à peu près la taille du chas de l'aiguille qui figure à côté.

GÉNÉRER DE L'ÉLECTRICITÉ

La **dynamo** est un **générateur**. C'est une machine capable de convertir l'énergie mécanique en énergie électrique. Elle fonctionne à peu près comme un moteur électrique, mais à l'envers (voir le schéma ci-dessous). La rotation de l'induit entre les deux aimants génère un courant électrique. Lorsque l'induit est en position verticale, la direction du courant change. Ce type de courant est appelé **courant alternatif** (**CA**).

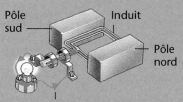

Pôle sud — Induit

Pôle nord

Direction du courant pendant le premier demi-tour

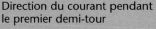

Pôle sud

Pôle nord

Direction du courant pendant le second demi-tour

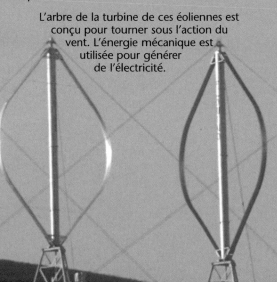

L'arbre de la turbine de ces éoliennes est conçu pour tourner sous l'action du vent. L'énergie mécanique est utilisée pour générer de l'électricité.

La **dynamo d'une bicyclette** est un type de générateur. Elle utilise l'énergie mécanique de la roue pour produire le courant qui alimente la lampe.

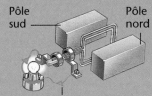

Dans la dynamo d'un vélo, l'induit tourne entre deux aimants.

— Induit

— Aimant fixe

Les **centrales électriques** produisent de l'électricité à grande échelle. Dans une centrale thermique, on brûle du charbon pour faire bouillir de l'eau et la transformer en vapeur. La pression de la vapeur est alors utilisée pour faire tourner l'arbre d'une machine appelée **turbine**. Celle-ci entraîne à son tour l'arbre d'un énorme générateur qui produit du courant alternatif.

Générateur contenant des bobines

Vapeur provenant de l'eau chauffée

Coupe d'une turbine à vapeur

La pression de la vapeur entraîne la rotation de la turbine.

Production d'électricité

★

La vapeur s'échappe par ce tuyau.

Un générateur peut fonctionner avec différents types d'énergie. Par exemple, les éoliennes sont des turbines qui transforment l'énergie du vent en électricité.

Liens Internet

Pour les liens vers ces sites, connecte-toi à :
www.usborne-quicklinks.com/fr

Site 1
Comment fabriquer un moteur électrique.

Site 2
Animations d'un moteur et d'un générateur électriques.

Site 3
Documente-toi sur les éoliennes.

Site 4
La lévitation magnétique et toutes ses applications pratiques (en particulier l'histoire du maglev japonais).

L'ÉLECTRONIQUE

L'**électronique** se sert d'éléments, ou **composants électroniques**, pour agir sur la façon dont le courant électrique circule dans un circuit et lui faire accomplir des tâches. Un tel circuit est appelé **circuit électronique**. Nombre d'appareils utilisent des circuits électroniques : téléviseurs, ordinateurs, robots...

Les pistes conductrices au dos de cette carte électronique relient les composants pour former un circuit.

CONSTRUIRE UN CIRCUIT

On peut utiliser différents composants pour faire un circuit électronique. Le circuit simple présenté ci-dessous intègre un résistor (voir à droite).

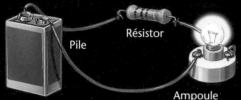

Pile

Résistor

Ampoule

Un circuit est représenté par un schéma comme ci-dessous. Chaque composant est figuré par un symbole. Les principaux symboles sont présentés en page 54.

Schéma du circuit ci-dessus

Pile

Résistor

Ampoule

On peut construire un circuit simple sur une **carte électronique** qui comporte des rangées de trous et, au dos, des pistes conductrices en cuivre. Les composants sont insérés à l'endroit dans les trous et leurs broches sont reliées à la piste. Les **circuits imprimés** (**PCB**) sont des cartes en plastique incrustées de pistes conductrices. On les trouve dans les téléviseurs, par exemple. Les **circuits intégrés**, ou **puces**, sont des circuits minuscules gravés sur des petites pastilles en silicium.

LA RÉSISTANCE

La capacité d'un matériau à s'opposer au passage du courant électrique est sa **résistance**. Tous les composants d'un circuit ont une certaine résistance, ce qui réduit la quantité de courant pouvant y passer pendant un temps donné. Un matériau résistant au passage du courant convertit une certaine quantité d'énergie électrique en chaleur ou en lumière.

Le filament de cette ampoule électrique est un fin fil enroulé en spirale. Sa résistance au courant le rend lumineux.

Filament grossi

L'unité de résistance électrique est l'**ohm**, du nom d'un physicien du XIXᵉ siècle, Georg Ohm.

La lettre grecque oméga est le symbole de l'ohm.

Les **résistors** sont des composants électroniques qui réduisent le flux du courant. Chaque résistor a une résistance fixée, indiquée par un code de bandes de couleurs.

Code de couleurs des résistors	
1ʳᵉ à 3ᵉ bandes	4ᵉ bande
	Or ± 5 %
	Argent ± 10 %
0 1 2 3 4 5 6 7 8 9	Pas de 4ᵉ bande ± 20 %

Les deux premières bandes figurent des chiffres ; la troisième, le nombre de zéro à lui rajouter (multiplicateur). La quatrième bande indique la tolérance. Le résistor ci-dessous, par exemple, a une bande bleue (6), une rouge (2), une noire (0) et une or (± 5 %). Sa résistance est donc de 62 ohms, plus ou moins 5 %.

Les bandes indiquent que ce résistor a une résistance comprise entre 58,9 et 65,1 Ω.

Observe par toi-même

À l'aide du code de couleurs ci-dessus, tente de déterminer lequel de ces résistors a la résistance la plus élevée (réponse en page 63).

LES TYPES DE COMPOSANTS

Il existe différents types de composants électroniques, chacun étant conçu pour remplir une fonction particulière dans un circuit. Par exemple, les résistors ont des résistances déterminées, plus ou moins importantes selon les applications.

La **résistance variable**, ou **rhéostat**, peut être ajustée. Le volume des appareils sonores, par exemple, est commandé par une résistance variable (potentiomètre) qui, en contrôlant le flux du courant, fait varier la quantité d'énergie électrique convertie en énergie sonore.

Résistance variable

La **thermistance** est une résistance sensible à la chaleur. Sa résistance diminue quand la température s'élève et augmente quand la température baisse. Dans les alarmes incendies, elle sert à détecter une chaleur anormale.

Thermistance

Les **diodes** ne laissent passer le courant que dans une seule direction. Les **photodiodes** (**LED**) s'allument quand elles sont sous tension.

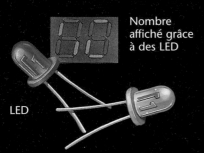

Nombre affiché grâce à des LED

LED

Les gros rectangles noirs de ce circuit imprimé sont des circuits intégrés. Ils sont reliés entre eux et aux autres composants par des pistes en cuivre.

Éclaté d'une radio de poche

L'antenne reçoit les signaux qui sont ensuite amplifiés par les transistors.

Le circuit intégré contient des transistors minuscules.

Haut-parleur

Plaque du circuit

Compartiment des piles

Recherche des stations

Contrôle du volume (contenant une résistance variable)

Condensateurs

Cette radio portative contient de nombreux composants électriques qui constituent un circuit appelé **circuit amplificateur**.

Les **transistors** sont des interrupteurs électroniques. Ils sont munis de trois pattes : la **base**, l'**émetteur** et le **collecteur**. Si un faible courant arrive dans la base, le transistor permet à un courant plus fort de circuler entre le collecteur et l'émetteur. Le transistor est alors activé. Si la base ne reçoit aucun courant, le transistor est désactivé.

Transistor

Schéma du passage du courant (flèches blanches) dans un transistor

Base

De la source d'énergie

Émetteur

Collecteur

Vers la source d'énergie

De la source d'énergie

Les **condensateurs** emmagasinent l'énergie électrique et la libèrent quand elle est nécessaire. Dans un téléviseur, les condensateurs stockent des tensions élevées.

Condensateurs

Il existe différents types de condensateurs.

Liens Internet

Pour les liens vers ces sites, connecte-toi à : **www.usborne-quicklinks.com/fr**

Site 1
Des notions fondamentales d'électricité et d'électronique bien expliquées avec de nombreux schémas.

Site 2
Le code de couleurs des résistances.

Site 3
Tout savoir sur le transistor.

Site 4
Le montage d'une alarme de tiroir (composants, circuits, etc.).

L'ÉLECTRONIQUE NUMÉRIQUE

L'**électronique numérique** est une forme d'électronique qui utilise des impulsions électriques au lieu d'un flux électrique continu, ou **analogique**. L'électronique numérique est présente dans de nombreux appareils tels que montres, calculatrices et ordinateurs.

Les calculateurs de poche contiennent des circuits électroniques numériques.

LES CIRCUITS NUMÉRIQUES

Dans un **circuit numérique**, les impulsions électriques sont à haute ou à basse tension. De minuscules composants* électroniques changent et redirigent ces impulsions tandis qu'elles parcourent le circuit.

Dans un circuit analogique, le flux électrique est continu.

Dans un circuit numérique, le flux, sous forme d'impulsions, est discontinu.

Une montre digitale est contrôlée par un circuit numérique.

Affichage de l'heure

Circuit

Pile

Les impulsions électriques peuvent servir à véhiculer des informations, comme du son, des mots et des images, sous forme d'un **code binaire** à base de 0 et de 1. Ne disposant que de deux choix, 0 et 1, les appareils qui utilisent l'électronique numérique peuvent donc traiter les informations très rapidement.

Forme d'une onde de courant numérique

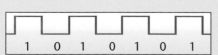

```
1 0 1 0 1 0 1
```

Une impulsion à haute tension représente un 1 et une impulsion à basse tension, un 0.

LES PORTES (OPÉRATEURS) LOGIQUES

Une **porte**, ou **opérateur**, **logique** est une combinaison de transistors* utilisée pour faire des calculs dans les circuits électroniques numériques. Les opérateurs logiques changent ou redirigent les impulsions. La plupart ont deux **entrées**, qui reçoivent les signaux, et une **sortie**, qui les renvoie.

Il existe trois types principaux de portes logiques, représentées par différents symboles.

Porte ET

	Entrée	Sortie
	1 1	1

Une porte ET donne un 1 si les deux entrées valent 1, sinon elle donne un 0.

	Entrée	Sortie
	0 1	0
	0 0	0

Porte NON

	Entrée	Sortie
	1	0
	0	1

La porte NON, ou inverseur, a une entrée et une sortie. Elle change 1 en 0 et 0 en 1.

La porte OU

	Entrée	Sortie
	1 0	1
	1 1	1
	0 0	0 ★

La porte OU donne 1 si l'une au moins des entrées vaut 1.

Les portes logiques ont de nombreux usages. Par exemple, on peut utiliser une porte ET dans un système de sécurité, tel que celui des banques, où deux employés doivent tourner une clé simultanément pour ouvrir un coffre. Les deux 1 ne passent la porte ET, et n'ouvrent le coffre, que si les deux clés sont tournées.

Ce système de sécurité utilise une porte ET. Le cadenas ne s'ouvre que si les clés X et Y sont tournées.

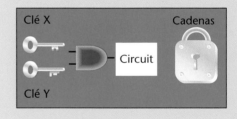

Clé X

Cadenas

Circuit

Clé Y

Si la sortie est au niveau 1, le courant passe dans le circuit et ouvre le cadenas.

LES BASCULES BISTABLES

Les portes logiques sont souvent combinées pour obtenir des appareils plus complexes, comme les **bascules bistables**. Les impulsions électriques vont et viennent dans celles-ci au cours d'un processus appelé **feed-back**, ou **rétroaction**. Cela permet à la bascule de se « souvenir » de portions d'informations binaires.

Les circuits intégrés des ordinateurs (voir ci-contre) contiennent des milliers de bascules. Reliées entre elles, elles constituent la mémoire de l'ordinateur.

Composants électroniques, transistors, 43 ; Tension, 36.

LES CIRCUITS INTÉGRÉS

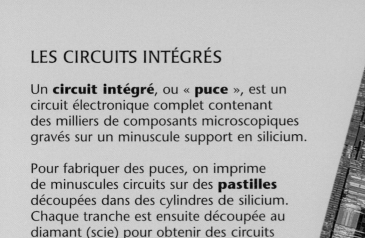

Un **circuit intégré**, ou « **puce** », est un circuit électronique complet contenant des milliers de composants microscopiques gravés sur un minuscule support en silicium.

Pour fabriquer des puces, on imprime de minuscules circuits sur des **pastilles** découpées dans des cylindres de silicium. Chaque tranche est ensuite découpée au diamant (scie) pour obtenir des circuits individuels.

Les puces sont fabriquées à partir de pastilles découpées dans des cylindres de silicium.

Un grand nombre de circuits minuscules est imprimé sur chaque pastille. La pastille est ensuite découpée en circuits individuels.

L'**unité centrale** (**CPU**) est le principal circuit intégré d'un ordinateur. Elle contient plus de 28 millions de minuscules transistors disposés en portes logiques. Les transistors sont connectés entre eux par des fils d'aluminium microscopiques.

On utilise le silicium car c'est un **semi-conducteur**, un matériau qui agit comme un conducteur* ou comme un isolant* en fonction de la température. Les composants du circuit sont également des semi-conducteurs faits d'alliages de silicium et de très petites quantités d'éléments comme le phosphore ou le bore.

Le circuit principal d'un ordinateur est appelé **carte mère**. Celle-ci est constituée d'une carte en plastique dans laquelle sont fichées les puces. Les puces sont connectées par des pistes métalliques imprimées sur la carte mère. D'autres composants contrôlent l'intensité du courant qui circule dans les puces.

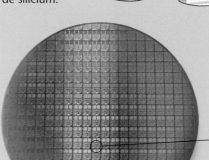

Les puces sont ensuite serties dans des boîtiers en plastique munis de broches métalliques permettant de les relier aux autres composants sur la carte du circuit imprimé.

Les broches métalliques connectent la puce aux autres composants.

Des cartes plus petites, appelées **cartes d'extension**, peuvent être enfichées sur la carte mère.

Carte mère

Conducteur, isolant, 34.

Liens Internet

Pour les liens vers ces sites, connecte-toi à : **www.usborne-quicklinks.com/fr**

Site 1
Histoire de la numération, initiation à l'informatique, les portes logiques.

Site 2
Découvre la fabrication des puces, de la tranche de silicium à leur utilisation en microélectronique.

Site 3
Diverses rubriques également relatives à la fabrication des circuits électroniques.

Site 4
Une autre page sur les portes logiques.

Site 5
Un lien sur les bascules bistables.

LES ORDINATEURS

Les **ordinateurs** sont des machines qui effectuent des calculs et trient des informations. Dans les années 1940, époque de leur invention, ils étaient si gros qu'ils remplissaient des pièces entières. Aujourd'hui, des ordinateurs bien plus puissants que leurs ancêtres font la taille d'un livre.

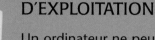

Cette machine analytique, ancêtre de l'ordinateur, fut construite il y a plus d'un siècle.

LE MATÉRIEL

Les différentes parties d'un ordinateur sont groupées sous le nom de **matériel informatique**. On appelle **périphériques** les appareils qui composent le matériel autre que l'ordinateur lui-même : écran, clavier, souris, imprimante…

Le matériel informatique ci-dessous est celui d'un **ordinateur individuel**, ou **PC** (personal computer).

Cet écran d'ordinateur possède un tube cathodique*. Les images s'affichent comme sur une télévision.

Les **ordinateurs portables** et les **ordinateurs de poche** ont des écrans plats. Ils contiennent une mince couche faite d'une solution de cristaux liquides qui s'assombrissent pour afficher une image lorsqu'un courant électrique les traverse.

Le clavier est semblable à celui d'une machine à écrire, mais comporte des touches supplémentaires, les **touches de fonction**, qui font effectuer certaines tâches à l'ordinateur.

La souris déplace un curseur sur l'écran et permet de cliquer sur des instructions, ce qui est plus rapide que d'utiliser un clavier.

LE LOGICIEL D'EXPLOITATION

Un ordinateur ne peut pas fonctionner sans une série d'instructions, ou **programme**, ou **logiciel d'exploitation**, chargée dans sa mémoire, et qui comprend le **système d'exploitation**, chargé du contrôle de l'ordinateur. Windows®, fabriqué par Microsoft®, est un système d'exploitation.

Cet écran affiche des dossiers et des documents grâce au logiciel Windows.

Des logiciels spécifiques sont nécessaires pour que l'ordinateur puisse servir à d'autres activités, comme des jeux ou la navigation sur Internet.

Observe par toi-même

Lorsque tu démarres un PC, tu vois un flot d'informations qui défilent rapidement sur l'écran. Cela prouve que l'ordinateur est en train de vérifier le bon fonctionnement de ses systèmes et de ses logiciels.

Écran plat

Boîtier contenant les principaux circuits de l'ordinateur

Souris

Clavier. Les touches de fonction sont alignées dans la partie supérieure.

*Tube cathodique, 33.

Représentation artistique d'un flux de 0 et de 1 semblable aux informations numériques qui circulent dans un ordinateur.

BITS ET OCTETS

Pour faire leurs opérations, les ordinateurs n'utilisent qu'un code à deux chiffres, 0 et 1 : le **code binaire**. Chaque chiffre (0 ou 1) est appelé **bit** (de l'anglais **b**inary dig**it**). Dans les circuits d'un ordinateur, le code binaire se traduit facilement à l'aide d'impulsions électriques à haute (1) et à basse (0) tension.

Des fragments d'information (data) sont représentés sous la forme d'une série de huit bits, appelée **octet**. L'assemblage de nombreux octets peut ainsi donner des informations complexes.

```
0 1 0 0 0 0 1 0
```

Cet octet représente la lettre B du clavier.

LE PROCESSEUR

Dans un ordinateur, les opérations sont faites par des **microprocesseurs**. Dans un PC, le plus important s'appelle l'**unité centrale (CPU)**. Les unités centrales sont capables d'exécuter plusieurs millions de calculs par seconde.

Microprocesseur

Les octets circulent à travers de minuscules pistes électroniques, les **bus**, qui assurent la transmission des informations entre l'unité centrale et les autres parties de l'ordinateur.

LA VITESSE

La vitesse à laquelle un microprocesseur est capable de traiter une information est caractérisée par deux facteurs :

• le nombre d'octets qu'il peut gérer à la fois, ou **bande passante** ;

• le nombre d'instructions qu'il peut effectuer par seconde, ou **fréquence (vitesse) d'horloge**, qui se mesure en mégahertz (MHz). Une unité centrale pouvant exécuter 500 000 calculs par seconde a une fréquence d'horloge de 500 MHz.

Microprocesseur fabriqué par Intel

Les CD des ordinateurs ressemblent à des CD audio. Ils stockent les informations de la même façon.

LA MÉMOIRE

L'ordinateur stocke les informations dans sa **mémoire**, sur un ou plusieurs **disques durs**. Ces informations sont conservées même quand l'ordinateur est éteint. Pour un usage ultérieur, les informations peuvent aussi être stockées, ou transférées d'un ordinateur à l'autre, sur des disquettes ou des CD.

La mémoire **RAM** (**Mémoire à accès aléatoire/mémoire vive**) stocke les informations sur des puces* tant que l'ordinateur est sous tension. Elle s'efface lorsqu'il est éteint.

Les disquettes ont un faible volume de stockage.

Les CD peuvent stocker 450 fois plus d'informations que les disquettes.

Liens Internet

Pour les liens vers ces sites, connecte-toi à : **www.usborne-quicklinks.com/fr**

Site 1
Surfe sur le site du Musée d'Histoire Informatique : visite guidée, histoire, collection, et un lexique utile.

Site 2
TOUT savoir sur son ordinateur et son fonctionnement.

Site 3
Le fonctionnement du PC : à ne pas faire et ce qu'il faut faire. Très utile !

Site 4
Une page à propos de la fréquence d'horloge des ordinateurs.

*Puce de silicium, 45.

LES LOGICIELS DE CRÉATION

Il existe des centaines de logiciels, depuis les simples programmes qui permettent de faire du courrier jusqu'aux produits extrêmement sophistiqués qui sont utilisés pour la conception des avions modernes.

Cette image d'un Airbus a été faite sur un logiciel de création, alors qu'aucun avion de ce type n'avait encore été construit.

Chaque domaine de travail dispose de ses propres logiciels. Dans la publicité et l'édition, par exemple, un logiciel de graphisme est utilisé pour manipuler les images et créer des effets spéciaux.

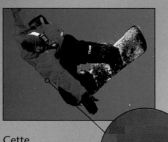

Cette photographie a été scannée et convertie en milliers de **pixels**. À l'aide d'un logiciel de graphisme, les pixels ont été retouchés pour obtenir le résultat de droite.

Gros plan des pixels

Généralement, les logiciels, mémorisés sur des disques compacts, sont installés (copiés) sur le disque dur de l'ordinateur.

Observe par toi-même

Windows® contient un logiciel graphique simple appelé Paint®. Bien qu'il ne soit pas aussi performant que celui utilisé pour créer l'image de cette page, tu peux t'en servir pour modifier les couleurs et les formes d'une image.

Palette de couleurs de Paint®

LES CARTES

Les périphériques, comme l'écran de l'ordinateur, fonctionnent grâce à des **cartes** de circuit imprimé munies de microprocesseurs.

Une carte graphique contrôle l'affichage des images sur l'écran.

Les cartes s'enfichent dans la carte principale de l'ordinateur. Des **logiciels pilotes**, ou **drivers**, qui doivent être installés sur le disque dur de l'ordinateur, assurent leur fonctionnement.

Afin d'améliorer les performances d'un ordinateur, on peut y installer une carte plus performante ou plus récente et de nouveaux pilotes. C'est la **réactualisation**, ou **mise à jour**.

COMMENT A-T-ON OBTENU CETTE IMAGE ?

L'image de ce snowboarder a été créée avec un logiciel graphique sur un ordinateur équipé d'une carte graphique performante. La photo d'origine a d'abord été scannée dans l'ordinateur avec un scanner (voir ci-contre).

Pour un meilleur effet, les couleurs de l'arrière-plan ont été modifiées avec un logiciel. Dans la photo originale, la main gauche n'apparaît pas. La main droite a donc été copiée, inversée et ajoutée au bras gauche. Pour donner l'impression de mouvement, la photo a de plus été rendue floue.

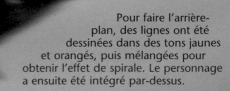

Pour faire l'arrière-plan, des lignes ont été dessinées dans des tons jaunes et orangés, puis mélangées pour obtenir l'effet de spirale. Le personnage a ensuite été intégré par-dessus.

LES PÉRIPHÉRIQUES

Outre le matériel de base, comme l'écran, le clavier et la souris, d'autres périphériques peuvent être ajoutés au système. Les plus courants sont l'imprimante, le scanner ou le graveur de CD qui sert à sauvegarder les informations.

Les haut-parleurs permettent d'écouter de la musique ou des textes grâce à des logiciels, ou téléchargés sur Internet.

Reliés à l'ordinateur, ce volant et ces pédales permettent de rendre les jeux de pilotage plus réalistes et excitants.

Le scanner transforme les textes et les photos en informations numériques qui peuvent être stockées dans l'ordinateur.

Fonctionnement du scanner

1. L'image est placée à l'envers contre la plaque en verre.

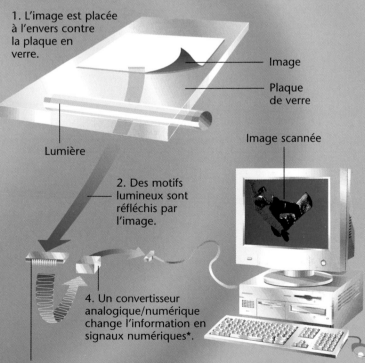

Image

Plaque de verre

Lumière

Image scannée

2. Des motifs lumineux sont réfléchis par l'image.

4. Un convertisseur analogique/numérique change l'information en signaux numériques*.

3. Un capteur optique transforme les motifs lumineux en signaux électriques analogiques*.

5. Les signaux numériques sont véhiculés jusqu'à l'ordinateur par un câble.

*Analogique, numérique, 44.

LES RÉSEAUX

L'interconnexion d'ordinateurs est la **mise en réseau**. Cela facilite le partage d'informations. Un réseau peut comporter des ordinateurs proches les uns des autres ou séparés par des milliers de kilomètres.

Un réseau d'ordinateurs proches les uns des autres, par exemple dans la même pièce, s'appelle un **réseau local** (**RL**).

Le RL le plus simple consiste en deux ordinateurs interconnectés.

Un réseau d'ordinateurs éloignés les uns des autres est un **réseau étendu** (**RE**).

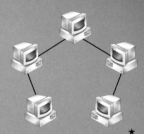

Un RE peut joindre des ordinateurs situés n'importe où dans le monde.

LES TYPES DE RÉSEAUX

Le réseau le plus simple est le réseau **en bus**. Aucun des ordinateurs ne contrôle les autres. C'est un réseau facile à installer.

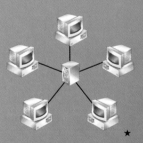

Configuration d'un réseau en bus

Dans un réseau **client/serveur** ou réseau **en étoile**, l'un des ordinateurs, le **serveur**, contrôle le réseau. Il contient des données et des programmes importants que les autres ordinateurs (les clients) consultent. Si le serveur ne fonctionne pas, les clients ne peuvent pas utiliser les données et le réseau est en panne.

Configuration d'un réseau client/serveur, ou en étoile

Les réseaux client/serveur peuvent gérer davantage d'informations que les réseaux en bus.

Liens Internet

Pour les liens vers ces sites, connecte-toi à :
www.usborne-quicklinks.com/fr

Site 1
L'histoire des ordinateurs, le matériel informatique, les logiciels.

Site 2
Un dictionnaire des termes utilisés en informatique.

LES TÉLÉCOMMUNICATIONS

Depuis l'invention du téléphone en 1876, les systèmes téléphoniques n'ont pas cessé de s'améliorer. Avec l'aide de l'informatique, les gens disposent désormais de nombreux moyens d'envoyer et de recevoir des informations. Ces technologies portent le nom de **télécommunications**, ou **télécoms**.

Le combiné de ce téléphone est relié à son support par un fil. Les téléphones sans fil communiquent avec le support grâce à des ondes radio.

LES LIGNES TÉLÉPHONIQUES

Les messages téléphoniques ont depuis toujours été transportés par des fils en cuivre enterrés ou suspendus entre des poteaux.

Ces fils véhiculent généralement des signaux analogiques* générés par le téléphone, mais les téléphones modernes envoient et reçoivent désormais des informations numériques, qui nécessitent moins de puissance et encombrent moins les lignes. Davantage d'informations peuvent donc y transiter.

LE SYSTÈME TÉLÉPHONIQUE

Le **système téléphonique** est constitué d'un réseau compliqué de lignes, de boîtiers de commutation et de centraux téléphoniques.

Lors d'une communication longue distance, le message peut très bien être relayé par un satellite, transmis entre deux antennes-relais, ou plus simplement acheminé par des lignes très longues. Quel que soit son chemin, la communication atteint sa destination en quelques secondes.

Satellite

Antennes de radio transmission (émetteurs-récepteurs)

Central principal

Central principal

4. Les signaux numériques transitent le long de câbles faits de fibres optiques.

5. L'appel est relayé par le moyen de transmission le plus rapide, dans ce cas, les câbles en fibres optiques.

6. L'appel poursuit son chemin sur les câbles en fibres optiques.

Central local

Central local

2. Gros câble fait de centaines de paires de fils en cuivre. L'appel transite le long d'une de ces paires.

3. Le central local traduit l'appel en signaux numériques.

7. Le central local transforme les signaux numériques en signaux analogiques.

8. Câble constitué de centaines de paires de fils en cuivre. L'appel circule sur l'une des paires.

Boîtier de commutation

Boîtier de commutation

Parcours d'une communication téléphonique

Ce schéma montre comment une communication téléphonique longue distance ordinaire peut atteindre sa destination, sous forme d'une combinaison de signaux analogiques et numériques.

1. L'appel, sous forme d'ondes analogiques, passe par deux fils en cuivre.

9. Une paire de fils en cuivre achemine l'appel à destination.

*Analogique, 44.

50

LES MODEMS

Le **modem**, contraction de **mo**dulateur/**dém**odulateur, permet à un ordinateur ou à un fax d'envoyer des informations ou de les faxer, et de les recevoir via une ligne téléphonique.

Le modem convertit, ou module, les informations numériques produites par l'ordinateur ou le fax en ondes analogiques. Le modem qui réceptionne ces informations les démodule (reconvertit) en code numérique compréhensible par un autre ordinateur ou un fax.

Modem

LA VITESSE DE TRANSMISSION

La masse d'informations pouvant être envoyée par un modem est limitée par sa vitesse de procédure. La **compression des données**, qui supprime toute information non indispensable, peut augmenter cette vitesse.

Par exemple, un morceau de musique peut être compressé grâce au logiciel **mp3**, qui supprime les parties sonores que l'oreille humaine ne peut pas détecter. La version épurée peut ainsi être envoyée plus rapidement.

Masse d'information numérique sur un CD audio

Masse d'information numérique après compression mp3

Le logiciel mp3 supprime les ondes sonores de très haute ou de très basse fréquence, inaudibles à l'oreille humaine, ainsi que les sons masqués par d'autres sons.

LA BANDE PASSANTE

L'ensemble des informations pouvant être traité par un téléphone en une seconde est appelé **bande passante**. Les **câbles en fibres optiques**, faits de fibres de verre ou de plastique, ont une bande passante bien plus étendue, mais sont coûteux à l'installation.

LES TÉLÉPHONES MOBILES

Les **téléphones mobiles**, ou **portables**, n'utilisent pas les lignes téléphoniques, mais envoient un signal radio numérique aérien vers une antenne-relais (émetteur-récepteur), ou **station de base**. Celle-ci relaie le signal vers les stations suivantes, jusqu'à ce qu'il atteigne le téléphone appelé.

Fonctionnement d'un téléphone mobile

1. Le numéro est composé et envoyé.

2. Le téléphone choisit une fréquence radio disponible et envoie le signal numérique du numéro vers l'antenne-relais la plus proche.

Signal radio

Antenne-relais

3. L'antenne-relais envoie le signal dans le réseau des antennes jusqu'à ce que le téléphone appelé soit localisé.

4. Le téléphone appelé renvoie un message via les antennes indiquant s'il est libre ou occupé. La sonnerie se fait alors entendre.

★

On peut voir la lumière briller à l'extrémité des fibres de ce bouquet de fibres optiques. Les câbles en fibres optiques transportent les informations numériques sous forme d'impulsions lumineuses.

Observe par toi-même

Compose un numéro de fax sur un téléphone. Lorsque le fax répond, tu peux entendre une sonnerie aiguë ; c'est son modem interne qui envoie un message. Celui-ci doit établir si c'est un fax qui l'appelle ; si oui, le modem lui indique de commencer à transmettre l'information.

Liens Internet

Pour les liens vers ces sites, connecte-toi à : **www.usborne-quicklinks.com/fr**

Site 1
L'histoire des télécommunications, du télégraphe optique au réseau Internet.

Site 2
Des animations pédagogiques qui présentent les technologies des réseaux.

Site 3
La visite d'un musée pour te renseigner sur les télécommunications, dont les lignes et la transmission, le télégraphe et le télex, les terminaux, et bien d'autres choses encore.

INTERNET

Internet est un vaste réseau informatique qui relie des millions d'ordinateurs dans le monde entier. Les informations mises sur le réseau, émanant d'individus, de sociétés ou d'organismes, sont ainsi accessibles à tous. On peut aussi utiliser Internet pour échanger des informations, envoyer des messages ou faire des achats.

1. L'ordinateur personnel est connecté à Internet via une ligne téléphonique.

2. Le message entré dans le navigateur de l'ordinateur est envoyé au fournisseur d'accès.

LES BASES D'INTERNET

Les connexions à Internet, ou **ouvertures de session**, se font par l'intermédiaire d'un logiciel appelé **navigateur**, ou **browser**.

Les compagnies de téléphone procurent la structure de base d'Internet. En effet, les lignes téléphoniques assurent la circulation des informations qui sont envoyées ou reçues.

La plupart des utilisateurs accèdent à Internet grâce à un **fournisseur d'accès (FAI)**. Lors de la connexion à Internet, des messages sont expédiés par la ligne téléphonique de l'ordinateur vers les puissants ordinateurs du FAI. Ces ordinateurs fonctionnent comme des bureaux de poste électroniques : ils trient et envoient les informations en l'espace de quelques secondes.

Le World Wide Web (toile mondiale) est le système de communication le plus connu et le plus utilisé sur Internet.

6. Le fournisseur d'accès renvoie l'information vers l'ordinateur personnel via la ligne téléphonique.

Fournisseur d'accès

Routeur

3. Le fournisseur d'accès envoie le message sur le réseau, via de puissants ordinateurs, les **routeurs**.

4. Le message circule jusqu'à ce qu'il atteigne l'ordinateur qui détient l'information recherchée, ou **serveur**.

Routeur

5. Le serveur expédie l'information demandée vers le fournisseur d'accès via les routeurs.

Serveur

LE WORLD WIDE WEB

Le **World Wide Web** (**www**) peut être comparé à une énorme bibliothèque et à un immense centre commercial (voir la page ci-contre). Il est constitué de milliers de sites Web individuels qui regroupent des documents, les pages Web.

HTML

Les pages Web sont écrites dans un langage informatique appelé langage de marquage en hypertexte : **HTML** (**HyperText Markup Language**). Lorsqu'on regarde une page Web, on peut visualiser le code HTML en cliquant sur le bouton « Affichage », puis en choisissant « Source ».

LES LIENS HYPERTEXTES

Les pages Web contiennent des mots ou des images en surbrillance. En cliquant dessus, une nouvelle page se **télécharge** (apparaît à l'écran) : c'est un **lien hypertexte**. Les liens hypertextes permettent de naviguer rapidement d'une page à l'autre sur le Web.

LES ADRESSES

Chaque information envoyée sur Internet a sa propre adresse, l'**URL**, ou **localisation universelle des ressources** (**Uniform Resource Locator** en anglais). L'URL permet d'obtenir l'information désirée. Elle définit également le format, ou **protocole**, sous lequel le message est expédié.

Exemple d'URL

http://www.cite-sciences.fr/francais/indexFLASH.htm

http:// est le **nom du protocole** de communication, ou **protocole de transfert d'un hypertexte** (hypertext transfer protocol).

www.cite-sciences.fr/francais est le **nom de domaine**, qui identifie le nom du site et le serveur Web qui l'héberge.

indexFLASH.htm : **nom du fichier** dans lequel les pages sont hébergées, suivi de l'extension (htm) qui indique que le fichier est écrit en code HTML.

POINT COM

La partie finale du nom de domaine, le suffixe, est appelée **domaine de premier niveau**. Voici quelques exemples :

.com – entreprise commerciale
.edu – institution d'enseignement
.gov – organisme gouvernemental
.org – organisme à but non lucratif

Pour identifier le pays où ils sont basés, certains noms de domaine sont suivis de deux lettres. Par exemple :

.es – Espagne
.fr – France
.uk – Royaume-Uni

COURRIER ÉLECTRONIQUE

Le **courrier électronique**, ou e-mail (**electronic mail**), est un moyen d'envoyer des messages aux autres internautes via un ordinateur. Pour écrire et lire des e-mails, il existe des logiciels spéciaux, comme Outlook Express® de Microsoft®.

L'e-mail est envoyé via la ligne téléphonique au FAI de l'expéditeur. De là, il est transmis au FAI du destinataire, où il va attendre que ce dernier se connecte à Internet et l'ouvre.

Les adresses électroniques ont trois parties, comme ci-dessous :

lucilou@tortillard.com

lucilou est le pseudonyme que la personne a choisi d'utiliser pour envoyer et recevoir ses e-mails.

@ signifie « chez »

tortillard.com est le nom de domaine, habituellement le nom du FAI pour les utilisateurs d'ordinateurs personnels.

LE COMMERCE ÉLECTRONIQUE

Internet permet également de faire toutes sortes d'achats, c'est le **commerce électronique**, ou **e-commerce**. Les biens et les services proposés sur le Web peuvent être commandés directement en remplissant un bordereau qui apparaît sur une page de site commercial.

Grâce au commerce électronique, on peut acheter n'importe quoi, n'importe où et n'importe quand. Toutefois, il est impossible d'inspecter ou d'essayer la marchandise avant de l'acheter.

INTERNET MOBILE

Certains téléphones mobiles ont accès à une partie d'Internet. Ils affichent des pages Web écrites dans un protocole différent avec peu d'illustrations. Ces pages sont plus simples que les pages Web normales, car les lignes des téléphones mobiles ne peuvent transporter suffisamment vite la masse d'informations numériques d'une page normale.

Ce téléphone mobile permet d'accéder à Internet et d'envoyer des e-mails.

DONNÉES COMPLÉMENTAIRES

SYMBOLES D'ÉLECTRICITÉ ET D'ÉLECTRONIQUE

Les symboles ci-dessous servent à représenter des composants que l'on trouve dans les circuits électriques et électroniques. Certains symboles peuvent différer d'un pays à l'autre.

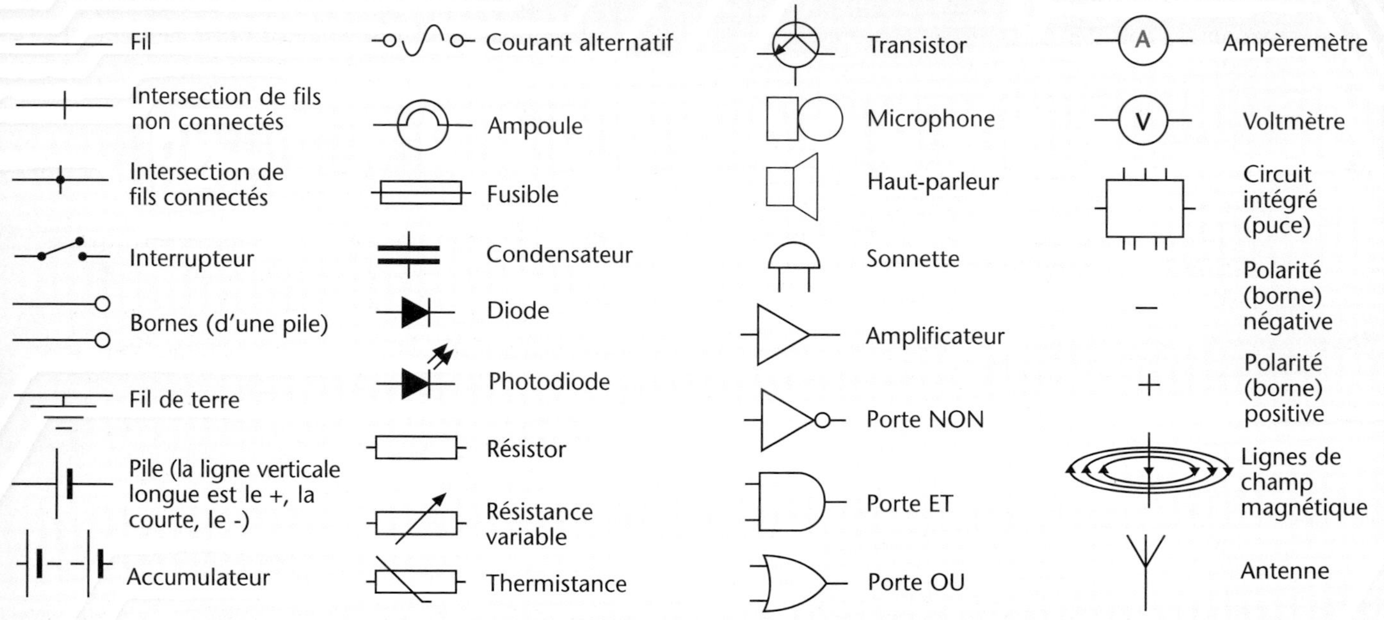

Fil	Courant alternatif	Transistor
Intersection de fils non connectés	Ampoule	Microphone
Intersection de fils connectés	Fusible	Haut-parleur
Interrupteur	Condensateur	Sonnette
Bornes (d'une pile)	Diode	Amplificateur
Fil de terre	Photodiode	Porte NON
Pile (la ligne verticale longue est le +, la courte, le -)	Résistor	Porte ET
Accumulateur	Résistance variable	Porte OU
	Thermistance	

Ampèremètre

Voltmètre

Circuit intégré (puce)

Polarité (borne) négative

Polarité (borne) positive

Lignes de champ magnétique

Antenne

FORMULES ET ÉQUATIONS

Les équations suivantes définissent différents aspects d'un circuit électrique.

L'intensité du courant est égale à la tension divisée par la résistance
($I = V/R$ ou $I = U/R$)
La puissance est égale à la tension multipliée par l'intensité ($P = VI$)

Les unités SI

Les unités du système international SI sont des unités précises utilisées dans les domaines scientifiques. Les unités de base sont au nombre de sept, mais davantage dérivent d'équations (voir ci-dessous).

Grandeur	Unité SI
Temps	seconde (s)
Intensité du courant	ampère (A)
Température	kelvin (K)
Longueur	mètre (m)
Masse	kilogramme (kg)
Intensité lumineuse	candela (cd)
Quantité de matière	mole (mol)

Grandeur	Équation	Unités dérivées du système SI
Charge électrique	Courant (A) x temps (s)	coulomb (C)
Tension	$\dfrac{\text{Énergie (J)}}{\text{Charge (C)}}$	volt (V)
Résistance	$\dfrac{\text{Tension (V)}}{\text{Courant (A)}}$	ohm (Ω)

LE SYSTÈME BINAIRE

Le système binaire utilisé en informatique représente les nombres et les lettres par une série de 0 et de 1. Ci-dessous figurent les chiffres de 1 à 10.

Système décimal	Système binaire
1	1
2	10
3	11
4	100
5	101
6	110
7	111
8	1000
9	1001
10	1010

Le système binaire sur le Web

Le site *www-usborne-quicklinks.com/fr* propose des sites qui traitent du système binaire, de son intérêt et de la façon de compter en binaire.

L'HISTOIRE DE L'ORDINATEUR

Au cours du siècle dernier, le développement des ordinateurs et de l'informatique a révolutionné la vie des gens dans le monde entier. Des progrès phénoménaux ont été réalisés sur une période relativement courte, avec, en particulier, l'avènement de l'ordinateur individuel et l'essor d'Internet. Cette page retrace brièvement l'histoire de l'industrie de l'ordinateur. Pour en savoir plus, visite les sites Web recommandés en pages 45, 47, 49 et 53.

1642 Blaise Pascal invente la Pascaline, la première machine à calculer mécanique. Ses principes sont toujours utilisés dans les compteurs kilométriques qui équipent la plupart des véhicules.

1822 Charles Babbage imagine une machine à calculer, la machine différentielle, l'ancêtre de l'ordinateur moderne. Toutefois, cette énorme machine à vapeur ne dépassa jamais le stade du prototype.

1830 Charles Babbage invente la machine analytique (voir p. 46), plus sophistiquée que la précédente.

1890 Première utilisation de cartes perforées pour stocker un grand nombre de données. Cette méthode est utilisée jusque dans les années 1940. Herman Hollerith, pionnier de ce système, fonde la compagnie qui deviendra plus tard IBM.

1937 Alan Turing dessine les plans d'un ordinateur complexe qui sera connu sous le nom de « machine de Turing ».

1941 Konrad Zuse achève le premier ordinateur électromécanique véritablement opérationnel. Il fonctionne grâce à un système binaire et à des bandes perforées.

1943 Création du premier ordinateur électronique numérique, l'ENIAC (Electrical Numerical Integrator and Computer), mille fois plus rapide que ses prédécesseurs.

1945 John von Neumann développe l'architecture interne de l'ordinateur, qui permet désormais de stocker des programmes et des données dans une mémoire. Cette nouvelle technologie donne naissance, à la fin des années 1940, aux premiers ordinateurs commerciaux, l'EDVAC et l'UNIVAC. On les appelle les ordinateurs de « première génération ».

1947 L'invention du transistor par William Shockley, John Bardeen et Walter Brattain, des laboratoires Bell, permet l'essor de la « seconde génération » d'ordinateurs, beaucoup plus petits que ceux de la première génération.

1958 Jack Kilby fabrique le premier circuit intégré (puce électronique), constitué de nombreux transistors minuscules. C'est la « troisième génération » d'ordinateurs, des machines encore plus compactes.

1964 John Kemeny et Thomas Kurtz développent BASIC (Beginners All-purpose Symbolic Instruction Code), un langage de programmation facile à apprendre.

1971 Intel fabrique le premier microprocesseur, l'Intel 4004. La « quatrième génération » d'ordinateurs est née.

1972 Atari commercialise le premier jeu vidéo, « Pong », et donne naissance à l'industrie des jeux.

1975 Commercialisation du premier micro-ordinateur grand public, l'Altair, sous forme d'un kit à assembler. Il possède une mémoire de 256 octets et l'utilisateur doit écrire son propre logiciel. Bill Gates et Paul Allen, qui fonderont plus tard Microsoft®, améliorent le BASIC pour l'utiliser sur ce système.

1976 Steve Jobs et Steve Wozniak fondent la Apple Computer Company et commercialisent le Apple II, un ordinateur individuel.

1977 IBM commence à développer l'ordinateur personnel Acorn, qui deviendra plus tard le PC IBM.

1981 IBM sort le PC IBM, le premier ordinateur destiné à la fois aux particuliers, aux écoles et aux bureaux. Cela a pour effet de faire passer le nombre d'ordinateurs individuels de 2 millions en 1981 à 5,5 millions en 1982.

1984 Apparition de l'Apple de Macintosh, le premier ordinateur individuel possédant une interface utilisateur graphique ou GUI (un système d'exploitation basé sur des icônes et non pas du texte) et une souris. Arrivée sur le marché de la disquette 3,5 pouces qui devient un standard industriel.

1985 Microsoft® lance le système d'exploitation Windows® 1.0.

1986 IBM sort le premier véritable ordinateur portable, l'IBM PC Convertible.

1987 Microsoft® sort deux logiciels, le tableur Excel® et le traitement de texte Word® 4.0 pour Windows®.

1989 Tim Berner-Lee développe le World Wide Web.

1991 Les laboratoires du CERN créent le premier serveur Web.

1994 Arrivée de deux navigateurs Web : Netscape Navigator 1.0 et Microsoft Internet Explorer® 3.0.

2001 Le nombre d'internautes est passé de 3 millions en 1994 à une estimation de 407 millions dans le monde.

SCIENTIFIQUES ET INVENTEURS

al-Haytham, Ibn (Alhazen) (965-1038) Physicien arabe qui fit progresser les sciences optiques en expliquant la réfraction et le rôle de la réflexion dans la vision.

Ampère, André Marie (1775-1836) Mathématicien et physicien français qui effectua des travaux capitaux sur l'électricité et le magnétisme. Il donna son nom à l'unité de l'intensité du courant, l'ampère.

Babbage, Charles (1792-1871) Mathématicien anglais concepteur d'une machine à calculer, la machine analytique, considérée comme l'ancêtre des ordinateurs.

Baird, John Logie (1888-1946) Ingénieur écossais qui inventa la télévision en 1926.

Bell, Alexander Graham (1847-1922) Américain d'origine écossaise qui inventa le téléphone (1872-1876).

Berliner, Émile (1851-1929) Cet ingénieur américain d'origine allemande est l'inventeur du gramophone.

Edison, Thomas (1847-1931) Cet inventeur américain mit au point plus d'un millier d'appareils, dont le phonographe, précurseur du gramophone.

Faraday, Michael (1791-1867) Scientifique anglais qui inventa la dynamo, appareil qui consiste à générer un courant électrique en faisant tourner une bobine de fil dans un champ magnétique.

Franklin, Benjamin (1706-1790) Politicien et inventeur américain. Il démontra que l'éclair est une forme d'électricité et inventa le paratonnerre.

Gilbert, William (1544-1603) Physicien anglais et médecin de la reine Élisabeth 1re d'Angleterre. Il fut à l'origine de l'étude scientifique du magnétisme et émit l'hypothèse du magnétisme terrestre.

Hertz, Heinrich (1857-1894) Ce physicien allemand commença les recherches pour démontrer l'existence des ondes radio (électromagnétiques).

Lovelace, Ada (1815-1852) Cette mathématicienne anglaise travailla sur la machine analytique de Charles Babbage et imagina des « programmes », anticipant ainsi la programmation informatique moderne.

Maiman, Theodore (1927-) Scientifique américain qui construisit le premier laser.

Marconi, Guglielmo (1874-1937) Ce physicien italien développa la radiotélégraphie (télégraphie sans fil) et parvint à envoyer des signaux (en morse) à travers l'Atlantique en 1901.

Morse, Samuel (1791-1872) Artiste américain inventeur du morse, un système de communication par fils télégraphiques basé sur un code de signaux qui utilise des points et des traits (impulsions électriques courtes et longues).

Newton, Isaac (1642-1727) Physicien et mathématicien anglais qui formula les lois fondamentales de la gravité et du mouvement. Il découvrit aussi que la lumière est constituée d'un spectre de couleurs et construisit le premier télescope à réflexion.

Ohm, Georg (1787-1854) Physicien allemand qui fit des recherches sur la résistance électrique et donna son nom à l'unité SI de résistance électrique, l'ohm.

Pascal, Blaise (1623-1662) Mathématicien et physicien français. Il jeta les bases de l'hydrodynamique et étudia la pression atmosphérique. Il légua aussi son nom à l'unité SI de pression, le pascal.

Röntgen, Wilhelm (1845-1923) Ce physicien allemand découvrit les rayons X en 1895.

Ruska, Ernst (1906-1988) Ingénieur allemand qui inventa le microscope électronique en 1933.

Talbot, William Fox (1800-1877) Ce scientifique britannique mit au point la méthode pour reproduire des photographies à partir d'un négatif.

Tesla, Nikola (1856-1943) Ingénieur électricien croate qui inventa le moteur à courant alternatif. Il est aussi à l'origine du transformateur de courant alternatif à haute fréquence (bobine de Tesla), sans lequel le tube cathodique n'aurait pas pu voir le jour.

Turing, Alan (1912-1954) Mathématicien anglais et important pionnier de l'informatique.

Villard, Paul (1860-1934) Physicien français qui découvrit les radiations gamma en 1900.

Volta, Alessandro (1745-1827) Physicien italien qui construisit la première pile électrique. Il donna son nom au volt, l'unité SI de mesure de la différence de potentiel, ou tension.

Watt, James (1736-1819) Inventeur écossais qui améliora la machine à vapeur en y introduisant, notamment, son invention, l'engrenage planétaire. Il donna son nom au watt, l'unité SI de la puissance électrique (équivalent à un joule par seconde).

CONTRÔLE TES CONNAISSANCES

1. Toutes les ondes sont
A. des vibrations qui transportent de l'énergie
B. des vibrations dans la direction de déplacement de l'onde
C. des vibrations à angle droit de la direction de déplacement de l'onde
(Pages 8-9)

2. La longueur d'une onde est
A. le nombre d'ondes complètes passant par un point en une seconde
B. la distance entre une crête et le creux suivant
C. la distance entre deux crêtes consécutives
(Page 9)

3. Une onde qui frappe une surface et rebondit est
A. réfléchie
B. réfractée
C. diffractée
(Pages 10-11)

4. Une onde qui entre dans un nouveau milieu à un certain angle et change de direction est
A. réfléchie
B. réfractée
C. diffractée
(Pages 10-11)

5. Les ondes sonores
A. sont des ondes électromagnétiques
B. peuvent se propager dans le vide
C. se propagent plus vite dans les solides que dans les gaz
(Pages 8, 12-13)

6. Dans l'atmosphère, les ondes sonores
A. se propagent toujours à la même vitesse
B. ne sont pas réfléchies par les obstacles
C. sont des vibrations des molécules d'air
(Pages 12-13)

7. On augmente la puissance d'une note d'un instrument à cordes
A. en pinçant la corde plus fort
B. en allongeant la corde
C. en raccourcissant la corde
(Page 14)

8. On augmente la hauteur d'une note d'un instrument à cordes
A. en pinçant la corde plus fort
B. en allongeant la corde
C. en raccourcissant la corde
(Page 15)

9. Les rayons ultraviolets
A. ont une longueur d'onde plus courte que la lumière visible
B. se propagent plus vite que la lumière visible
C. ont une longueur d'onde plus longue que la lumière visible
(Page 18)

10. La lumière ne peut pas traverser
A. les objets transparents
B. les objets translucides
C. les objets opaques
(Page 20)

11. La pénombre est
A. la zone éclairée au maximum
B. la zone la plus sombre de l'ombre
C. la zone de l'ombre apparaissant grise
(Page 20)

12. Laquelle de ces affirmations n'est pas vraie ?
A. un prisme peut disperser la lumière blanche en couleurs qui la composent
B. la lumière bleue est la moins réfractée
C. les différentes couleurs sont réfractées à des angles différents
(Page 22)

13. Les lumières rouge, verte et bleue sont
A. les couleurs primaires
B. les couleurs secondaires
C. les couleurs complémentaires
(Page 22)

14. En mélangeant de la lumière rouge et de la lumière bleue, on obtient
A. du bleu
B. du rouge
C. du magenta
(Page 22)

15. Lorsque de la lumière blanche éclaire un objet bleu, l'objet apparaît
A. bleu
B. blanc
C. noir
(Page 23)

16. Il y a interférence lumineuse lorsque des rayons lumineux
A. se propagent parallèlement
B. se propagent dans des directions opposées
C. se croisent
(Page 25)

17. Les lunettes polarisantes réduisent la réverbération lumineuse car elles
A. filtrent les ondes lumineuses qui ne vont pas dans une certaine direction
B. réfléchissent la lumière loin des yeux
C. dévient la lumière de façon qu'elle n'atteigne pas les yeux
(Page 25)

18. Dans l'air, une lentille en verre biconvexe
A. a des surfaces incurvées vers l'intérieur
B. agit comme une lentille convergente
C. agit comme une lentille divergente
(Page 26)

19. Une personne myope
A. ne voit pas nettement les objets proches
B. ne voit pas nettement les objets distants
C. a besoin de lunettes munies de lentilles convergentes
(Page 27)

20. Les petits objets semblent plus gros à travers
A. un microscope
B. un périscope
C. un télescope
(Page 28)

21. L'ouverture d'un appareil photo contrôle
A. la quantité de lumière entrant dans l'appareil
B. le temps d'exposition du film à la lumière
C. la taille de l'image
(Page 30)

22. Deux particules chargées s'attirent si
A. les deux ont une charge positive
B. les deux ont une charge négative
C. l'une a une charge positive et l'autre négative
(Page 34)

23. Quels pôles magnétiques s'attirent ?
A. un nord et un nord
B. un nord et un sud
C. un sud et un sud
(Page 38)

24. Les matériaux ferromagnétiques doux sont
A. faciles à magnétiser et à démagnétiser
B. difficiles à magnétiser et à démagnétiser
C. utilisés pour faire des aimants permanents
(Page 38)

25. Une machine qui convertit l'énergie mécanique en énergie électrique est
A. une dynamo
B. un moteur
C. un induit
(Page 41)

26. Dans un circuit électrique en série, si la résistance d'un composant augmente, le courant
A. augmente
B. diminue
C. reste le même
(Pages 36, 42)

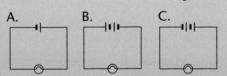

27. Lequel de ces schémas figure correctement un circuit à deux piles, avec les pôles positifs à droite, relié à une ampoule.
(Page 54)

28. Ce schéma montre un circuit comportant deux piles, une ampoule et
A. un résistor
B. un transistor
C. une diode
(Page 54)

Réponses

1.A 2.C 3.A 4.B 5.C 6.C 7.A 8.C 9.A 10.C 11.C 12.B 13.A 14.C 15.A 16.C 17.A 18.B 19.B 20.A 21.A 22.C 23.B 24.A 25.A 26.B 27.C 28.A

57

GLOSSAIRE

AC Voir *courant alternatif*.
Accumulateur Voir *pile secondaire*.
AM Voir *modulation d'amplitude*.
Ampère (**A**) Unité SI d'intensité du courant électrique.
Ampèremètre Appareil destiné à mesurer l'intensité du courant électrique.
Amplifier Rendre quelque chose plus important, par exemple, augmenter la puissance d'un son.
Amplitude Déplacement maximal des particules d'une onde par rapport à leur position de repos. Sur le schéma d'une onde, c'est la distance entre une crête et la position de repos.
Analogique Se dit d'un signal qui varie de manière continue entre deux états (opposé à numérique).
Antenne-relais Haute antenne servant à relayer des signaux radio numériques entre les téléphones mobiles.

Bande passante Nombre d'octets qu'un microprocesseur est capable de gérer à la fois.
Bang supersonique Déflagration provoquée par l'**onde de choc** (ondes sonores superposées) produite par un avion volant à une vitesse supersonique lors de son passage au-dessus d'un observateur.
Bascule bistable Combinaison de portes logiques souvent utilisée pour stocker des informations binaires.
Batterie Groupe d'éléments générateurs d'énergie électrique : piles électrochimiques, accumulateurs, cellules solaires…
Bit (**binary digit**) Information élémentaire du code binaire – 0 ou 1.
Bobine Voir *solénoïde*.
Borne (ou **pôle**) Point sur une source de différence de potentiel, par exemple une pile, où les fils sont connectés pour former un circuit électrique.
Bus Pistes électroniques assurant la transmission des informations entre l'unité centrale (CPU) et les autres parties de l'ordinateur.

Câble en fibres optiques Câble constitué de nombreuses fibres en verre ou en plastique et qui sert à conduire la lumière.
Caisse de résonance Une sorte de caisson dans lequel le son est amplifié par résonance.
Candela Unité SI de l'intensité lumineuse.
Capteur optique Partie électronique photosensible que l'on trouve, par exemple, sur un caméscope, et qui produit des signaux électriques.
Carte de circuit imprimé Plaque en plastique incrustée de pistes conductrices, qui sert à relier les composants électroniques.
CCD Voir *capteur optique*.

Cellule photovoltaïque (ou **photopile**) Système qui convertit l'énergie solaire en électricité.
Champ électrique Zone où s'exerce une force électrique.
Champ magnétique Zone autour d'un aimant dans laquelle s'exerce la force magnétique.
Charge électrique Propriété de la matière qui provoque des forces électriques entre les particules. Les charges opposées s'attirent, tandis que les charges identiques se repoussent. La charge électrique se mesure en coulombs (C).
Circuit électronique Circuit électrique qui contient des composants électroniques.
Circuit en parallèle Circuit électrique offrant plusieurs chemins possibles au courant.
Circuit en série Circuit électrique dans lequel le courant traverse les composants l'un après l'autre.
Circuit intégré Voir *puce en silicium*.
Code binaire Méthode utilisée pour représenter des informations avec uniquement les chiffres 0 et 1.
Cohérent Terme qui décrit des ondes de même fréquence et de même longueur qui se déplacent synchroniquement.
Commutateur Élément d'un moteur électrique qui inverse la direction du courant.
Composant électronique Élément qui agit sur le flux du courant dans un circuit électrique.
Compression des données Méthode utilisée pour accélérer la vitesse de transmission des données en éliminant les informations qui ne sont pas essentielles.
Concave Se dit d'une surface incurvée vers l'intérieur.
Condensateur Composant électronique qui stocke de l'énergie électrique et la libère si nécessaire. La capacité d'un condensateur se mesure en farads (F).
Conducteur Substance facilitant le passage du courant électrique ou de la chaleur.
Conduction 1. Façon dont la chaleur se propage dans un solide par vibrations des particules chauffées du solide. 2. Façon dont un courant électrique est transféré dans un matériau par le mouvement des électrons libres.
Convexe Se dit d'une surface bombée.
Couleur secondaire Couleur obtenue en mélangeant deux couleurs primaires.
Couleurs achromatiques Le noir, le blanc et les dégradés de gris.
Couleurs chromatiques Toutes les couleurs du spectre de la lumière visible, ou lumière blanche.
Couleurs complémentaires Deux couleurs qui, ensemble, donnent de la lumière blanche.
Couleurs primaires Couleurs à partir desquelles on peut obtenir toutes les autres. Les couleurs primaires du spectre lumineux sont le rouge, le vert et le bleu ; celles des pigments, le magenta, le jaune et le cyan.

Coulomb (**C**) Unité SI de charge électrique.
Courant alternatif (**AC**) Courant électrique qui change de direction de nombreuses fois par seconde.
Courant continu (**DC**) Courant électrique qui ne se déplace que dans une direction.
Courant électrique Flux de particules chargées électriquement. L'intensité du courant se mesure en ampères (A).
CPU Voir *unité centrale*.

DC Voir *courant continu*.
Décibel (**dB**) Unité de puissance sonore (liée à l'amplitude des ondes sonores).
Diaphragme Fine membrane circulaire à l'intérieur d'un microphone qui vibre à la même fréquence que les ondes sonores ou que le signal électrique qui la frappe.
Différence de potentiel (ou **tension**) Travail, mesuré en volts (V), nécessaire pour conduire une certaine charge électrique entre deux points d'un circuit conducteur.
Diffraction Déviation d'une onde qui rencontre un obstacle ou traverse une ouverture.
Diode Composant électronique qui ne permet au courant de le traverser que dans une seule direction.
Dipôles Molécules d'un matériau ferromagnétique qui se comportent comme des aimants microscopiques.
Dispersion Séparation de la lumière blanche en couleurs du spectre qui la composent.
Disque dur Dans un ordinateur, ensemble de disques magnétiques qui conservent les informations même si l'ordinateur est éteint.
Domaine Dans un matériau ferromagnétique, groupe de dipôles alignés et pointant dans la même direction. Lorsque le matériau est magnétisé, tous les domaines s'ordonnent et s'alignent.
Dynamo (ou **générateur**) Machine qui convertit l'énergie mécanique (du mouvement) en énergie électrique.

Échantillonnage Dans un enregistrement numérique, mesure en différents points du courant électrique représentant une onde sonore analogique, de façon à construire une représentation numérique de l'onde.
Écholocation Méthode de localisation d'un objet basée sur la détection du retour des ondes sonores qui s'y réfléchissent. Les dauphins et les chauves-souris se déplacent et localisent leurs proies grâce à un système d'écholocation (voir aussi *sonar* et *ultrason*).
Électricité Effet produit par la présence ou le mouvement de particules chargées électriquement.

Électricité statique Charge électrique retenue à la surface d'un matériau.

Électroaimant Aimant (constitué d'un solénoïde avec un cœur ferromagnétique doux) qui peut être activé ou désactivé par un courant électrique.

Électromagnétisme Effet engendré par le passage d'un courant électrique dans un fil métallique : il se crée un champ magnétique autour du fil.

Électron Particule de charge négative qui se déplace autour du noyau d'un atome.

Enregistrement haute fidélité Enregistrement sonore très proche de l'original.

Exposition Quantité de lumière qui peut pénétrer à travers l'objectif d'un appareil photo.

Farad (**F**) Unité SI de capacité électrique.

Feed-back (ou **rétroaction**) En électronique, processus de renvoi d'une partie ou de la totalité d'un signal de sortie vers l'entrée.

Ferromagnétique Si dit d'un métal qui peut être fortement magnétisé, comme le fer ou l'acier.

Fil de terre (ou **prise de terre**) Équipement de sécurité dans une installation électrique qui permet au courant de rejoindre la terre en cas de surtension.

Fil neutre L'un des deux fils conducteurs d'un câble électrique.

Fil sous tension Dans un câble électrique, l'un des deux fils conducteurs.

Fluorescence Capacité de certaines substances d'absorber les radiations ultraviolettes et d'autres formes d'énergie, et de les restituer sous forme de lumière.

FM Voir *modulation de fréquence*.

Force électrique Effet que des particules chargées exercent les unes sur les autres.

Foyer Point de focalisation (de rencontre) des rayons lumineux, ou point d'où ils semblent provenir.

Fréquence Nombre d'ondes passant par un point donné en une seconde. L'unité de mesure de la fréquence est le hertz (Hz).

Fréquence fondamentale La fréquence principale et la plus puissante d'une note de musique, qui reste la même quel que soit l'instrument.

Fusible Petit fil métallique de sécurité que l'on interpose dans un circuit et qui fond et coupe le courant lorsque son intensité devient trop importante.

Générateur Voir *dynamo*.

Harmoniques Vibrations sonores de différentes fréquences qui se mêlent à la fréquence fondamentale d'une note et donnent son timbre à un instrument.

Hauteur Sensation d'aigu ou de grave d'un son.

Hertz (Hz) Unité SI mesurant la fréquence.

Induit Bobine en rotation dans un moteur électrique.

Infrason Onde sonore dont la fréquence est inférieure à 20 hertz.

Instrument d'optique Appareil qui utilise une combinaison de lentilles et de miroirs pour produire un type d'image particulier.

Intensité lumineuse Niveau de luminosité de la lumière réfléchie par un objet. L'intensité lumineuse se mesure en candelas (cd).

Interférence L'effet engendré par la rencontre de deux ou plusieurs ondes (voir aussi *interférence constructive* et *destructive*).

Interférence constructive Accroissement de l'amplitude résultant de la rencontre de deux ondes.

Interférence destructive Diminution d'amplitude résultant de la rencontre de deux ondes.

Irisation Effet produisant les couleurs de l'arc-en-ciel par décomposition de la lumière à la surface de certains corps.

Isolant Substance qui ne conduit pas l'électricité ou conduit mal la chaleur.

Laser Machine qui crée un puissant rayon lumineux monochromatique, d'une seule fréquence et d'une seule longueur d'onde.

Lentille convergente Lentille qui entraîne la focalisation (rencontre en un point) des rayons lumineux parallèles qui la traversent.

Lentille divergente Lentille qui entraîne la déviation vers l'extérieur des rayons lumineux parallèles qui la traversent.

Lien hypertexte Phrase, mot ou image d'une page Web qui conduit à une autre page si on clique dessus.

Lignes de champ magnétique Lignes qui figurent la direction et la force d'un champ magnétique autour d'un aimant.

Longueur d'onde Distance entre deux crêtes ou deux creux consécutifs d'une onde.

Lumière polarisée Lumière dans laquelle les vibrations des champs électriques et magnétiques sont unidirectionnelles.

Magnétisme Force invisible qui attire certains métaux, tel le fer.

Micro-ondes Ondes radio de longueur relativement courte. On les utilise dans les fours à micro-ondes et les télécommunications.

Microprocesseur Un circuit intégré, ou un ensemble de circuits intégrés, qui exécute les calculs dans un ordinateur. Le principal circuit intégré d'un ordinateur individuel est l'unité centrale (CPU).

Microscope optique Instrument qui utilise des lentilles (objectifs) pour grossir des objets minuscules.

Modem (**mo**dulateur/**dém**odulateur) Appareil qui permet à l'ordinateur d'envoyer ou de recevoir des informations via une ligne téléphonique.

Modulation Procédé qui consiste à mélanger des signaux de sons et d'images à des ondes radio (**ondes porteuses**) pour pouvoir les diffuser.

Modulation d'amplitude (**AM**) Type de modulation dans laquelle l'amplitude de l'onde porteuse est altérée pour correspondre aux signaux de sons et d'images transportés.

Modulation de fréquence (**FM**) Type de modulation dans laquelle la fréquence de l'onde porteuse est altérée pour correspondre aux signaux de sons et d'images transportés.

Moteur électrique Appareil qui transforme l'énergie électrique en énergie mécanique (mouvement).

Navigateur Logiciel informatique servant à ouvrir une session (naviguer) sur l'Internet.

Numérique Se dit d'un signal qui est constitué d'impulsions électriques discontinues utilisées pour représenter les 0 et les 1 du code binaire (opposé à analogique).

Objectif Lentille d'un instrument d'optique qui réfracte la lumière d'un objet et forme une image à l'envers qui apparaît plus grande.

Obturateur Dans un appareil photo, dispositif contrôlant le temps d'exposition du film à la lumière.

Octet Groupe de huit bits.

Oculaire La lentille d'un instrument d'optique qui réfracte la lumière de l'objectif et produit l'image agrandie.

Oculaire du viseur Partie d'un appareil photo qui permet au photographe de voir ce qui apparaît sur la photographie.

Ohm (Ω) Unité SI de résistance électrique.

Ombre Zone très sombre dans laquelle la lumière ne pénètre pas.

Onde acoustique Voir *onde sonore*.

Onde électromagnétique Onde transversale constituée de champs électriques et magnétiques en perpétuel changement, par exemple la lumière.

Onde incidente Une onde (ou un rayon dans le cas de la lumière) qui se propage vers la frontière entre deux milieux.

Onde longitudinale Onde dans laquelle les particules vibrent dans la même direction que le sens de déplacement.

Onde mécanique Onde constituée de particules solides, liquides ou gazeuses en vibration.

Onde sonore (ou **onde acoustique**) Onde mécanique longitudinale qui transporte de l'énergie sonore à travers un milieu.

Onde transversale Onde dans laquelle les vibrations se produisent perpendiculairement au sens du déplacement.

Ondes radio Ondes électromagnétiques dont les longueurs d'onde sont les plus importantes et les fréquences les plus basses, par exemple, les micro-ondes et les ondes standard utilisées pour les diffusions à la radio et à la télévision.

Ouverture Sur un appareil photo, orifice ajustable qui, avec l'obturateur, contrôle l'exposition du film à la lumière.

P **énombre** Ombre pâle qui se forme dans une zone partiellement éclairée par une source lumineuse.

Périphérique Élément du matériel informatique, comme le clavier ou la souris, qui est extérieur à l'ordinateur lui-même.

Persistance des images rétiniennes L'illusion de mouvement créée par le défilement rapide d'images fixes, comme par exemple dans un film.

Photodiode (**LED**) Diode qui émet de la lumière lorsqu'un courant électrique la traverse.

Pigment Substance qui absorbe certaines couleurs du spectre et en réfléchit d'autres. C'est grâce aux pigments que les objets apparaissent colorés.

Pile électrochimique Dispositif produisant de l'énergie électrique à partir d'énergie chimique grâce aux mouvements de particules chargées dans une substance, l'**électrolyte**.

Pile primaire Pile électrochimique dont la durée de vie est limitée par l'usure de l'électrolyte.

Pile sèche Type de pile électrochimique contenant un électrolyte pâteux et non liquide.

Pile secondaire (ou **accumulateur**) Pile ou batterie électrochimique qui peut être rechargée.

Pixel Le plus petit élément d'une image. Point ou carré minuscule qui forme les images sur un téléviseur ou un écran d'ordinateur.

Pôle 1. Borne électrique. 2. L'une des deux extrémités d'un aimant, où les forces d'attraction et de répulsion sont les plus fortes.

Porte (ou **opérateur**) **logique** Arrangement de transistors servant à exécuter les calculs dans les circuits électroniques numériques.

Processus additif Processus de combinaison des lumières rouge, verte et bleue pour obtenir de la lumière de n'importe quelle autre couleur.

Processus soustractif Couleurs obtenues en mélangeant des pigments qui absorbent certaines couleurs du spectre de lumière visible et en réfléchissent d'autres.

Protocole En informatique, le format des messages envoyés entre les ordinateurs.

Puce en silicium (ou **puce électronique** ou **circuit intégré**) Minuscule support en silicium sur lequel est gravé un circuit électronique complet.

R **adar** (**ra**dio **d**etection **a**nd **r**anging) Système de détection d'objets éloignés par écho (réflexion) de faisceaux de micro-ondes.

Radiations (ou **rayons**) **gamma** Ondes électromagnétiques dont la longueur est la plus courte et la fréquence la plus élevée, émises par les substances radioactives.

Radiations (ou **rayons**) **infrarouges** Ondes électromagnétiques émises par tout ce qui est chaud.

Radiations (ou **rayons**) **ultraviolettes** Ondes électromagnétiques qui s'étendent au-delà du violet du spectre de la lumière visible.

Radiotélescope Télescope détectant les objets célestes lointains grâce aux ondes radio qu'ils émettent.

RAM (**R**andom **A**ccess **M**emory), mémoire vive ou mémoire à accès aléatoire Mémoire constituée de circuits intégrés, utilisée par l'ordinateur lorsqu'il est sous tension.

Rayons X Ondes électromagnétiques de courte longueur d'onde et de haute fréquence, qui sont capables de traverser la plupart des substances molles, mais pas les substances dures et denses.

Réflexion Changement de direction d'une onde qui rebondit à la frontière entre deux milieux.

Réflexion diffuse Réflexion par laquelle des rayons incidents parallèles se dispersent dans toutes les directions.

Réflexion régulière Réflexion par laquelle des rayons (ou ondes) incidents parallèles donnent des rayons réfléchis parallèles.

Réfraction Déviation d'une onde passant dans un milieu dans lequel la vitesse de propagation est différente.

Résistance Capacité d'un matériau à réduire le flux d'un courant électrique. La résistance électrique se mesure en ohms (Ω).

Résistance variable (ou **rhéostat**) Composant électronique pouvant être ajusté pour donner des résistances différentes.

Résistor Composant électronique dont la résistance électrique est connue et fixe.

Résolution Degré de détail d'une image.

Résonance Action de se mettre à vibrer en réponse à des vibrations venues d'ailleurs, et à la même fréquence.

Rhéostat Voir *résistance variable*.

S **emi-conducteur** Type de matériau qui se comporte comme un conducteur ou comme un isolateur selon la température.

SI Système international d'unités standard utilisées pour les mesures dans les domaines scientifiques.

Solénoïde (ou **bobine**) Bobine en fil métallique qui se comporte comme un aimant quand un courant électrique la traverse.

Sonar Système d'écholocation utilisé par les navires pour détecter les objets sous-marins, tels épaves ou bancs de poissons.

Spectre de la lumière visible Petite portion visible par l'œil humain du spectre électromagnétique, composé de lumières rouge, orange, jaune, verte, bleue, indigo et violette.

Spectre électromagnétique Disposition des ondes électromagnétiques dans l'ordre des longueurs d'onde et des fréquences.

Synthétiseur Appareil électroacoustique capable d'enregistrer les ondes sonores sous forme numérique et de reproduire un son original en convertissant son code numérique en signaux électriques envoyés vers un haut-parleur.

Système d'exploitation Logiciel chargé du contrôle du fonctionnement de l'ordinateur.

T **élescope optique** Instrument qui, grâce à des lentilles et à des miroirs, fait paraître les objets célestes lointains rapprochés, et donc plus gros.

Télescope réflecteur Télescope qui utilise un miroir pour collecter la lumière des objets célestes.

Télescope réfracteur (ou **lunette**) Télescope qui utilise une lentille pour collecter la lumière des objets célestes.

Tête d'enregistrement Partie d'un magnétophone qui enregistre les sons sur la bande magnétique.

Tête de lecture Partie d'un magnéto-phone qui traduit les informations imprimées sur la bande magnétique pour qu'elles soient transformées en sons.

Thermistance Résistance qui varie en fonction de la température.

Timbre Qualité sonore particulière d'un instrument de musique. La même note jouée sur différents instruments semble différente à cause de leur timbre particulier (voir aussi *harmoniques*).

Transistor Composant électronique qui agit comme un interrupteur en utilisant un courant faible pour contrôler un courant fort.

Tube cathodique Tube en verre dans lequel on a fait le vide, qui sert dans un téléviseur à transformer les signaux des images en faisceaux d'électrons qui balaient l'écran pour constituer les images.

Turbine Engin rotatif, constitué d'un arbre et d'ailettes, actionné, par exemple, par la force de l'eau ou du vent et qui convertit l'énergie mécanique en énergie électrique.

U **ltrason** Toute onde sonore d'une fréquence supérieure à 20 000 hertz. L'**échographie** utilise la réflexion des ultrasons pour produire des images de l'intérieur du corps.

Unité centrale (**CPU**) Circuit intégré principal, ou groupe de circuits (PCB), qui contrôle les opérations sur un ordinateur.

V **itesse (fréquence) d'horloge** Nombre d'instructions qu'un ordinateur peut gérer par seconde, mesuré en **mégahertz** (**MHz**).

Vitesse subsonique Vitesse qui ne dépasse pas celle du son.

Vitesse supersonique Vitesse supérieure à celle du son.

Volt (**V**) Unité SI de différence de potentiel.

Voltage Voir *différence de potentiel*.

Voltmètre Appareil qui est utilisé pour mesurer la différence de potentiel entre deux points.

INDEX

Tu trouveras la principale explication des termes de l'index aux pages figurant en gras, mais tu peux te reporter aux autres pages pour un complément d'information.

Observe par toi-même

RÉPONSE - Page 42

Le résistor rouge (2) rouge (2) bleu (6) argent (± 10 %) est le plus élevé, avec une valeur située entre 19 800 000 Ω et 24 200 000 Ω. Le résistor vert (5) vert (5) noir (0) argent (± 10 %) vaut entre 49,5 Ω et 60,5 Ω.